Llegando a ser el trabajador que Dios quiere que seas

EL TRABAJO CENTRADO EN EL EVANGELIO

Tim Chester

Este material está diseñado para que...

- Puedas estudiarlo individualmente o en grupo.
- Puedas trabajarlo capítulo por capítulo o escoger una lección que te interese para trabajar solo o en grupo.

EL TRABAJO CENTRADO EN EL EVANGELIO / por Tim Chester.

Traducido con permiso del libro *Gospel-Centred Work* © Tim Chester, 2013, publicado por The Good Book Company.

Poiema Publicaciones
info@poiema.co
www.poiema.co

Categoría: Religión, Cristianismo, Teología Cristiana, Escatología.

ISBN: 978-1-944586-08-9
Impreso en Colombia
SDG

CONTENIDO

INTRODUCCIÓN

El trabajo es un aspecto importante de nuestras vidas. Muchos vamos a la fábrica, al taller, a la tienda, a la oficina o al salón de clases todas las mañanas. Otros se quedan en casa haciendo los quehaceres domésticos o cuidando a los niños. Un número cada vez mayor de personas tiene trabajos de medio tiempo.

La mayoría de las personas que tienen un empleo de tiempo completo trabaja alrededor de cuarenta horas a la semana. Algunas personas trabajan mucho más tiempo. Esto representa por lo menos un tercio de las horas que pasamos despiertos. Y cuando a eso le sumamos otros trabajos que hacemos, como los quehaceres en el hogar, entonces quizá pasamos más de la mitad de nuestro tiempo trabajando. Con toda seguridad pasamos más tiempo trabajando que haciendo cualquier otra actividad. El trabajo es un aspecto importante de nuestras vidas.

Esto quiere decir que si queremos ser personas centradas en el evangelio, viviendo vidas centradas en él, tenemos que pensar con detenimiento en qué consiste el trabajo centrado en el evangelio. ¿Qué significa vivir para Jesús en el lugar de trabajo?

Tenemos que establecer una conexión entre la mañana del domingo y la mañana del lunes. El domingo por la mañana cantamos acerca del amor de Dios y de Su poder. Pero ¿qué quiere decir vivir a la luz del amor de Dios y de Su poder en un lugar de trabajo que muchas veces es hostil y ejerce presión sobre las personas? ¿La persona que canta alabanzas a Dios los domingos es la misma persona el lunes cuando se enfrenta a un problema complicado, a un cliente incómodo o a un colega difícil?

De esto es de lo que trata este libro, de darle al mundo del trabajo un enfoque centrado en el evangelio. Lo puedes leer por tu cuenta. Los capítulos, al ser cortos, tienen la intención de que puedas leerlos con facilidad cada mañana mientras te desplazas hacia tu lugar de trabajo todos los días. También puedes leerlo dentro de un grupo pequeño, o a lo mejor en un grupo en casa o en compañía de algunos de tus compañeros de trabajo. Los estudios de la Biblia y las preguntas de reflexión ofrecen oportunidades de entrar en diálogo con las demás personas del grupo.

LA LEYENDA PARA CADA CAPÍTULO

Principio

Un concepto clave para centrar nuestras vidas en el evangelio.

Considéralo

Una situación basada en la vida real que resalta problemas o frustraciones en la vida cotidiana.

Estúdialo

Un pertinente pasaje bíblico con algunas preguntas que te ayudan a procesarlo.

Contextualízalo

Una presentación del principio clave que enseña la base teológica y sugiere aplicaciones contemporáneas.

Pregúntate

Algunas preguntas útiles para la reflexión en grupo o de manera individual.

Aplícalo

Algunas ideas o ejercicios que te ayudan a pensar cómo puedes aplicar el principio a tu propia situación personal o colectiva.

PARTE UNO

EL TRABAJO EN EL EVANGELIO

DIOS TRABAJA

Principio

El trabajo puede ser divertido, satisfactorio y emocionante.

Considéralo

Marcos vio el reloj. 4:55 de la tarde. Faltaban cinco minutos para salir. Con toda seguridad no importaría si cerraba uno o dos minutos más temprano esta noche. Vio la pila de cajas de zapatos que estaban en la esquina. Eso podía esperar hasta mañana. Algunos de los estantes necesitaban que los enderezaran, pero de nuevo se iban a volver a desarreglar. "No, fue todo por hoy", se dijo. Volteó el letrero que colgaba en la ventana —"cerrado"— y cogió su abrigo.

María vio el reloj. 4:55 de la tarde. Faltaban cinco minutos para salir y entró otra llamada. "Hola, ¿en qué le puedo ayudar?", contestó con voz educada. Al mismo tiempo miró a Cristina y fingió un bostezo. "Me temo que eso es lo mejor que puedo hacer...", dijo después de pasados unos minutos. Entonces, una vez que la llamada hubo terminado, agregó: "... a las 5:00 de la tarde después de un largo día".

A las 7:20 de la noche Marcos y María estaban sentados en la sala de Juan esperando a que el resto del grupo llegara. "¿Qué tal les fue hoy en el trabajo?", les preguntó Juan. Ambos suspiraron. "Igual que siempre", se quejó María. "Alcanza para pagar las cuentas", dijo Marcos, antes de lanzarse a contar la historia de un molesto cliente. Juan estaba sentado ahí escuchando y preguntándose si debía decir algo frente a la actitud que Marcos y María estaban tomando.

Estúdialo

Lee Génesis 1:1 – 2:2

- ¿Qué semejanzas hay entre el trabajo de Dios y nuestro trabajo?
- ¿De qué manera ve Dios Su trabajo y la calidad de Su trabajo?
- ¿Qué papeles le dio Dios a la humanidad?

Contextualízalo

Dios miró todo lo que había hecho, y consideró que era muy bueno. Y vino la noche, y llegó la mañana: ese fue el sexto día. Así quedaron terminados los cielos y la tierra, y todo lo que hay en ellos. Al llegar el séptimo día, Dios descansó porque había terminado la obra que había emprendido.

Génesis 1:31 - 2:2

Dios es un trabajador. Trabaja y descansa de Su trabajo. Y todavía trabaja: "Mi Padre aun hoy está trabajando, y Yo también trabajo" (Jn 5:17). Dios es un trabajador y Jesús es un trabajador (Jn 4:34; 17:4). Nota además que Dios se deleita en Su trabajo. Ve lo que ha hecho y dice que es "muy bueno". El escritor de Proverbios describe el papel de la Sabiduría en la creación, y el Nuevo Testamento ve esto como un cuadro de Jesús. Proverbios dice: "Allí estaba Yo, afirmando Su obra. Día tras día me llenaba Yo de alegría, siempre disfrutaba de estar en Su presencia; me regocijaba en el mundo que Él creó; ¡en el género humano me deleitaba!" (Pro 8:30-31). Jesús estaba al lado del Padre haciendo la creación, y se deleita en Su trabajo. Día tras día Jesús se llena de deleite gozándose en la calidad del trabajo de Dios. No solo Dios es un trabajador, sino que hizo a la humanidad para compartir Su trabajo:

> Y Dios creó al ser humano a Su imagen; lo creó a imagen de Dios. Hombre y mujer los creó, y los bendijo con estas palabras: Sean fructíferos y multiplíquense; llenen la tierra y sométanla; dominen a los peces del mar y a las aves del cielo, y a todos los reptiles que se arrastran por el suelo [...] Dios el Señor tomó al hombre y lo puso en el jardín del Edén para que lo cultivara y lo cuidara.
>
> **Génesis 1:27-28; 2:15**

Nosotros fuimos hechos a la imagen de Dios y esto significa que gobernamos sobre la creación como mayordomos de Dios.

En los primeros tres días de la creación Dios "separa". Él separa la luz de las tinieblas, el agua del cielo, el mar de la tierra. Génesis 1:2 (RVC) dice que la tierra estaba *"desordenada y vacía"*. En los primeros tres días Dios gobierna sobre el caos. Luego, en los otros tres días (cuatro, cinco y seis), llena el vacío. Llena el cielo con el sol, la luna y las estrellas. Luego llena los cielos y los mares con pájaros y peces. Llena también la tierra con animales terrestres. Después Dios le da a la humanidad la doble tarea de llenar y gobernar la tierra —las mismas cosas que Él estaba haciendo en la creación. En cada uno de los tres primeros días de la creación Dios "pone nombre" a las cosas. Nombra el "día" y la "noche"; nombra el "cielo", la "tierra" y el "mar". Pero no le pone nombre a nada en los días cuatro, cinco y seis. En lugar de eso, le da a la humanidad la tarea de poner nombre a los animales y a los pájaros (Gn 2:19).

Dios creó al mundo como un proyecto bueno pero no terminado. Ahora nos entrega Su proyecto de creación a nosotros. Nos llama a llenar el mundo y a someterlo. Esto muchas veces se conoce como **"el mandato cultural"**. Dios nos da un mandato para crear, inventar, explorar, descubrir, desarrollar, producir, comprar y vender. Dios misericordiosamente nos invita a participar con Él en la tarea de producir un mundo hermoso que le dé la gloria.

Ser hechos a la imagen de Dios también significa ser seres relacionales así como Dios es relacional. Y por medio del trabajo no solo glorificamos a Dios, también proveemos para nuestras familias y contribuimos a nuestras comunidades (Dt 14:28-29; Ef 4:28).

En la Biblia el trabajo se elogia como algo bueno. El trabajo no es un mal necesario que tenemos que soportar. Es tanto un privilegio como una bendición. Es por esta razón que nosotros encontramos satisfacción y realización en él. Trabajar es parte de lo que significa ser humano. Encontramos placer en un trabajo bien hecho. Nos deleitamos en un producto bien hecho o en un servicio bien realizado —algo que funciona, algo que es bello, algo que va a durar. Nos produce placer encontrar en nuestro trabajo el piso limpio, el estudiante que capta una idea, todos los correos respondidos a tiempo, el cliente satisfecho. Ese placer es eco del placer que Dios tuvo cuando vio que todo lo que había hecho era muy bueno. Cuando nosotros encontramos deleite en un trabajo bien hecho, ese deleite es eco del deleite que la Sabiduría de Dios encontró al hacer con Sus manos el mundo.

Pregúntate

- Cuando un artesano desliza su mano sobre una pieza de madera ya terminada, comparte el gozo del Creador con la creación del mundo. El cliente satisfecho, la fuerza laboral productiva, la contabilidad bien hecha, la cocina limpia, la entrega hecha a tiempo, el diseño terminado.

  ¿De qué manera compartes el gozo del Creador?

- Una actitud común en el mundo moderno es que solo el trabajo basado en el conocimiento que desarrollan ciertos tipos de persona, como los gerentes, los maestros y los diseñadores, tiene sentido y es gratificante. Nosotros no valoramos el trabajo de los obreros, de los empleados en fábricas o de quienes trabajan en el sector del servicio como los limpiadores y los meseros. El trabajo manual u ordinario se ve como indigno. ¿Reconoces esta actitud de menosprecio en los demás? ¿Esta actitud ha encontrado un lugar en tu propio pensamiento?

  ¿De qué manera tener una visión bíblica del mundo desafía este modo de pensar?

Aplícalo

- Si eres jefe de una empresa o haces parte del equipo que la administra, ¿cómo puedes hacer que el trabajo sea satisfactorio y digno para los demás? Una ley sanitaria y de seguridad protege la salud corporal de los trabajadores, pero nosotros también necesitamos cuidar de la 'dignidad' de los trabajadores.
  - *¿De qué manera puedes asegurarte de que el trabajo no sea humillante?*
  - *¿Hay formas en las que pudieras hacer el trabajo interesante y gratificante?*
  - *¿Cómo puedes honrar a los que trabajan contigo de una manera apropiada?*
- Piensa detenidamente en las preguntas anteriores. Luego haz una lista de tareas que puedes hacer durante la semana las cuales te ayuden a crear un ambiente de trabajo digno y gratificante.

NADA FUNCIONA

2

Principio

El trabajo puede ser aburrido, frustrante y duro.

Considéralo

"¿Cómo podemos orar los unos por los otros?", preguntó Juan después del estudio de la Biblia.

"Ustedes podrían orar para que yo consiga un nuevo trabajo", dijo Marcos.

"Pero no has estado mucho tiempo en este trabajo".

"Sí, pero es igual de malo que el anterior. Los clientes me tratan como basura, mi jefe es una pesadilla y es para nada interesante. Quiero algo que me satisfaga más".

"¿No lo queremos todos?", pensó Juan, mientras meditaba en lo que había pasado en su día.

"Eso sería bueno", le dijo Juan a Marcos. "Pero...".

"Pero... ¿qué?".

Estúdialo

Lee Génesis 3:1-19

- ¿De qué manera el pecado afecta la forma en la que los seres humanos se relacionan unos con otros?
- ¿De qué manera el juicio de Dios afecta nuestro trabajo?
- ¿Cómo ves estos efectos en tu lugar de trabajo?

Contextualízalo

En el mundo que Dios creó, el trabajo tuvo la intención de ser divertido, gratificante y emocionante. Y muchas veces todavía lo es. Pero todos sabemos que el trabajo también puede ser frustrante, opresivo y difícil. "¿Cuántas personas trabajan aquí?", le pregunté en una ocasión a alguien. "Más o menos la mitad de ellas", fue su rápida e ingeniosa respuesta. En tu caso, pudiste haber gritado en un momento de estrés: "¡Aquí nada funciona!", como cuando la fotocopiadora se atascó, una vez más.

El trabajo puede ser frustrante

Imagina que te quedas cuidando la casa de un amigo. Eres la persona que se queda a cargo de todo. Pero eso no quiere decir que puedes hacer todo lo que quieras. Tienes que cuidar la propiedad de tu amigo. Esa es exactamente la situación en la que Dios nos coloca. Él nos pone a cargo de Su mundo, pero el mundo sigue siendo *Su mundo* y nuestra tarea es cuidarlo. Sin embargo, en lugar de eso, actuamos como si el mundo nos perteneciera. Somos como ocupantes ilegales que tomamos posesión de lo que no es nuestro.

Génesis 3 describe la rebelión de la humanidad contra Dios y las consecuencias que esto produjo. Una de esas consecuencias es que la tierra quedó maldita. Como resultado de esto, ahora trabajar implica esfuerzo y sudor. Con "penosos trabajos" nosotros comemos el fruto de la tierra. "Con el sudor de [nuestra] frente" comemos. El trabajo se vuelve frustrante, aburrido y estresante.

> Consideré luego todas mis obras y el trabajo que me había costado realizarlas, y vi que todo era absurdo, un correr tras el viento, y que ningún provecho se saca en esta vida [...] Volví a sentirme descorazonado de haberme afanado tanto en esta vida, pues hay quienes ponen a trabajar su sabiduría, sus conocimientos y su experiencia para luego entregarle todos sus bienes a quien jamás movió un dedo. ¡Y también esto es absurdo, y un mal enorme! Pues ¿qué gana el hombre con todos sus esfuerzos y con tanto preocuparse y afanarse bajo el sol? Todos sus días están plagados de sufrimientos y tareas frustrantes, y ni siquiera de noche descansa su mente. ¡Y también esto es absurdo!
>
> **Eclesiastés 2 :11, 20-23**

Una cantidad interminable de correos electrónicos que hay que leer, proyectos que salen mal, una administración incompetente, propuestas que no llegan a nada, todo esto es parte de trabajar en un mundo caído. Algunas veces encontramos gran deleite en el trabajo —eso era lo que Dios pretendía—, pero muchas veces encontramos que es frustrante. Eso es en lo que el trabajo se ha convertido como resultado de la rebelión de la humanidad contra Dios.

El trabajo puede ser opresivo

La naturaleza frustrante del trabajo en un mundo caído se hace peor a causa de nuestro pecado y el pecado de los demás. En nuestra vida laboral encontramos clientes difíciles, conflictos con los compañeros o con personas que abusan de los demás. El ambiente de trabajo no siempre es de felicidad. Es más, para mucha gente el trabajo puede ser humillante. Esto hace que el lugar de trabajo sea uno difícil para vivir el cristianismo. Un amigo mío me escribió:

> Muchos empleados cuentan chistes groseros, hacen comentarios sexistas, difaman o se comportan de manera deshonesta en las relaciones laborales. Y lo peor de todo es que si tú no les sigues la corriente, te van a hacer quedar mal en público. Esto puede ser una pesadilla.

Es muy difícil aplicar las habilidades necesarias para tratar con estos problemas, y el apoyo espiritual, el aliento y el ánimo a perseverar se necesitan desesperadamente.

Otra expresión del pecado es la forma en que algunas personas evitan el trabajo:

> Dice el perezoso: Hay una fiera en el camino.
> ¡Por las calles un león anda suelto!
> Sobre sus goznes gira la puerta;
> sobre la cama, el perezoso.
> El perezoso mete la mano en el plato,
> pero le pesa llevarse el bocado a la boca.
>
> **Proverbios 26:13-15**

Pablo dice que tales personas ni merecen comer. Dicho de otro modo, no debemos afirmar a alguien en su pereza y proveerle para sus necesidades (ver 2Ts 3:9-12; 1Ti 5:3-16).

El escritor de Proverbios describe el mundo bueno que Dios creó como un mundo de causas y efectos predecibles en el que el trabajo duro se recompensa.

> El que labra su tierra tendrá abundante comida,
> pero el que sueña despierto es un imprudente.
>
> **Proverbios 12:11**

No obstante, ahora el mundo bueno de Dios está completamente corrompido por nuestra rebelión, y esto quiere decir que la causa y el efecto no siempre operan como Dios quiso. En cambio, los poderosos usan su posición para explotar al pobre, y así el trabajo de los pobres y de los débiles muchas veces es explotado.

> En el campo del pobre hay abundante comida,
> pero esta se pierde donde hay injusticia.
>
> **Proverbios 13:23**

Así que el trabajo puede ser opresivo.

El trabajo puede llevarnos a la idolatría

El profeta Isaías condena el comercio de Tiro porque explota a los demás, pero también lo condena porque los de Tiro han usado su comercio para darse la gloria a sí mismos en vez de a Dios (Is 23:1-14). Como veremos, el trabajo puede ser una forma en la que busquemos nuestra propia gloria de una manera idólatra y busquemos la satisfacción dejando a Dios de lado. Muchas personas llegan a la cima de su profesión solo para descubrir que esta no les da la satisfacción que esperaban, porque aunque fuimos hechos para trabajar, también fuimos hechos para algo más que el trabajo. Fuimos hechos para Dios mismo, y el trabajo nunca puede ser un sustituto de Dios que nos satisfaga.

Las personas, hoy en día, parecen pensar que tiene derecho a un trabajo agradable y gratificante todo el tiempo. Se indignan cuando la vida no es así. Son como los cristianos que esperan que Dios los mantenga saludables todo el tiempo. Vivimos en un mundo caído que todavía no está redimido. Así que no nos debe sorprender si el trabajo muchas veces es aburrido o frustrante. Nos vamos a enfrentar a la tentación de ser flojos, de oprimir a los demás o de tratar al trabajo como tratamos a los ídolos. Y si aun podemos resistir esas presiones, sin duda vamos a experimentar todas esas cosas entre nuestros compañeros. Por eso, debemos tener una comprensión del trabajo centrado en el evangelio como algo bueno que la caída arruinó; debemos fijar nuestra mirada en la nueva creación, en donde el trabajo será un deleite genuino.

Pregúntate

- ¿En qué sentido tu trabajo puede ser frustrante? ¿De qué maneras tu trabajo puede ser opresivo? ¿De qué forma tu trabajo puede llevarte a la idolatría?

Lee Santiago 5:1-11.

- ¿Qué les dice Santiago a las personas que hacen que el trabajo sea opresivo?
- ¿Qué les dice Santiago a las personas que encuentran el trabajo opresivo?

Aplícalo

- Ora al Señor. Pídele que te ayude a mirar el trabajo como algo bueno y productivo que será restaurado completamente en la nueva creación.
- Piensa en cuáles son aquellas cosas que suceden en tu trabajo que te frustran, oprimen a tus compañeros o te llevan a idolatrar tu labor. ¿Qué podrías hacer para mejorar esas situaciones durante la semana? ¿Cómo pensar en esto te ayuda a fijar tu mirada en la nueva creación? Escribe tus respuestas.

JESÚS TRABAJA 3

Principio

Jesús transforma el trabajo y el trabajo transforma al mundo.

Considéralo

Pedro amaba su trabajo. Se dedicaba a colocar alfombras y obtenía trabajo constante de dos grandes comerciantes de la ciudad. Le encantaba conocer a los clientes. Le encantaba trabajar por su cuenta. Y le encantaba terminar el día a las cuatro. Le daba tiempo para estar con su familia y con el grupo de jóvenes de la iglesia que él dirigía.

Pero la gente le seguía diciendo que le podía ir mejor. Un par de personas le sugirieron que se expandiera, tal vez contratando dos personas más a fin de que pudiera competir por los contratos comerciales. Otros sugerían que alguien con sus habilidades lo podría hacer mejor por su cuenta. Pedro no estaba muy seguro de lo que ellos tenían en mente, pero sospechaba que ellos se referían a un trabajo de saco y corbata donde se pudiera sentar en un escritorio todo el día. A veces sentía como si estuviera haciendo algo mal. Pero amaba su trabajo y las oportunidades que este le daba.

¿Cómo podría decidir Pedro entre expandir su negocio o no?

Julia amaba su trabajo. Había comenzado en el hospital local en un programa de administración para los recién graduados y había sido ascendida en un par de ocasiones. Le encantaba organizar el caos de la vida del hospital y ayudar al personal a desempeñarse dando lo mejor de sus capacidades. Se le presentaban de vez en cuando algunos dilemas éticos que podían generarle retos como cristiana, pero creía que tenía la oportunidad de ponerlos en una perspectiva bíblica.

Sin embargo, ella sentía una tensión con los compromisos de la iglesia. Con frecuencia llegaba tarde a su reunión del grupo en casa y tenía que rechazar las solicitudes que le hacían para ser voluntaria en programas de la iglesia. Una o dos personas le habían dado a entender que el equilibrio entre el trabajo y su vida estaba mal. Ahora se le había presentado una nueva oportunidad en el trabajo que en verdad la emocionaba. Pero se preguntaba de qué manera las personas de su grupo pequeño responderían.

¿Cómo podría Julia decidir entre aceptar el ascenso o no?

Estúdialo

Lee Hebreos 2:5-9

- ¿De quién está hablando el escritor en los versículos 5-8?
- ¿Cuál es la gloria de la humanidad?
- ¿Cuál es el fracaso de la humanidad?
- ¿Cuál es la diferencia que Jesús hace?

Contextualízalo

Dios le dio a la humanidad la tarea de llenar la tierra y someterla. Esto es lo que le da sentido a nuestro trabajo. Esta es la gloria de la humanidad —nuestra gloria suprema de acuerdo con el salmista:

Pues lo hiciste poco menos que un dios,
y lo coronaste de gloria y de honra:

lo entronizaste sobre la obra de Tus manos,
todo lo sometiste a su dominio.

Salmo 8:5-6

Pero cuando el escritor a los Hebreos cita del Salmo 8, también reconoce que **este no es el cuadro completo.** Nuestra rebelión contra Dios nos recuerda que "todavía no vemos que todo le esté sujeto" (Heb 2:8).

A Adán se le dio la tarea de gobernar sobre la creación y cuidar del jardín (Gn 1:28; 2:15). Pero en vez de gobernar sobre la serpiente, Adán permitió que un animal lo gobernara. Nuestro pecado pone al mundo de cabeza. El juicio de Dios hizo que el trabajo se convirtiera en una batalla por controlar al mundo hostil. No todo nos está sujeto. No todo es color de rosa en el jardín.

"Nosotros no vemos que todo esté sujeto a ellos. Pero nosotros sí vemos a Jesús..." (Heb 2:8-9). No vemos a Adán y a su raza cumpliendo la tarea que Dios les dio, pero sí vemos a Jesús, el nuevo Adán. Adán fue el inicio de la humanidad y su pecado nos afecta a todos porque todos nacemos en Adán. Para nosotros el trabajo es una batalla frustrante. Pero Jesús es el inicio de la nueva humanidad de Dios y Su justicia afecta a todos los que por la fe están en Él.

Como Adán, Jesús fue tentado por Satanás, pero Él fue fiel a Dios.

El Espíritu lo impulsó a ir al desierto, y allí fue tentado por Satanás durante cuarenta días. Estaba entre las fieras, y los ángeles le servían.

Marcos 1:12-13

La presencia de los animales salvajes es la pista que Marcos nos da de que la creación finalmente va a ser domesticada, es decir, que otra vez se va a someter a la humanidad en la persona de Jesús.

La creación aguarda con ansiedad la revelación de los hijos de Dios, porque fue sometida a la frustración. Esto no sucedió por su propia voluntad, sino por la del que así lo dispuso. Pero queda la firme esperanza de que la creación misma ha de ser liberada de la corrupción que la esclaviza, para así alcanzar la gloriosa libertad de los hijos de Dios.

Romanos 8:19-21

La redención de la humanidad, que ha comenzado con Jesús, permitirá que la maldición que hay sobre la creación sea quitada. Vamos a ser restaurados a nuestro papel como compañeros de trabajo de Dios, gobernando sobre la creación y cuidando de ella. Y por medio de nuestro trabajo redimido, la creación misma también va a ser redimida.

Isaías, no obstante, espera con ansias el día en que la gente va a disfrutar del fruto de su labor, ya que esa era la finalidad de Dios.

> Construirán casas y las habitarán;
> plantarán viñas y comerán de su fruto.
> Ya no construirán casas para que otros las habiten,
> ni plantarán viñas para que otros coman.
> Porque los días de Mi pueblo
> serán como los de un árbol;
> Mis escogidos disfrutarán
> de las obras de sus manos.
>
> **Isaías 65:21-22**

Aunque Isaías anuncia la caída del imperio comercial de Tiro, también habla de su restauración. Una vez más, Tiro "volverá a venderse y prostituirse con todos los reinos de la tierra". Esta vez, sin embargo, "sus ingresos y ganancias se consagrarán al Señor" (Is 23:17-18). El comercio con Tiro proveyó los materiales para el templo de Salomón (1R 5) y "muchas naciones quedaban satisfechas" (Ez 27:33). Ahora Isaías ve hacia el futuro, a la reconstrucción del templo cuando Tiro proveerá otra vez los materiales (ver Esd 3:7). Él también ve más allá de esto; ve el día en el que la riqueza del comercio de las naciones se va a usar, no con fines egoístas ni para el orgullo del hombre, sino para la gloria de Dios y la provisión para Su pueblo (Is 60:5; ver Ap 21:24-26). Juan dice que el pueblo redimido de Dios le servirá, pero sin la amenaza de la pobreza o el calor de la fatiga (Ap 7:13-17).

Claro, todavía no ha llegado el día en que la nueva humanidad renovará la tierra. Solo cuando Cristo regrese, el mundo será transformado. Mientras tanto, tenemos una nueva visión y motivación para el trabajo. Como cristianos, puede que no seamos capaces de renovar todo el mundo, pero podemos hacer diferencia por medio de nuestro trabajo.

Los empresarios y administradores en particular tienen la oportunidad de formar empresas que bendigan a los demás. De esta manera pueden generar lo que podríamos llamar "ganancia cultural", es decir, ganancias que benefician a la comunidad en general. No solo los productos que elaboran, sino sus prácticas de empleo y administración, el diseño de sus instalaciones y la conducta de sus juntas, todo esto puede influenciar a la cultura en general y apuntar al mensaje del evangelio. Estar en el mundo de los negocios brinda la oportunidad de ejercer autoridad de una forma que refleje el gobierno de Dios, el cual libera y mejora la vida. Puedes tratar a los empleados, clientes y proveedores como socios, y con tu negocio bendecir a la comunidad.

Algunos cristianos han escogido no buscar ascensos o disminuir su carga laboral a tres o cuatro días a la semana para así tener tiempo para las misiones a través de su iglesia local. Esta es una gran decisión. Otros han buscado una carrera como una expresión del ministerio a través del lugar de trabajo. También eso es tomar una gran decisión. Lo importante es tomar esas decisiones para la gloria de Dios, no solo para obtener ganancia personal.

Tanto José como Daniel alcanzaron la cima de sus profesiones a través del servicio fiel. Esto se refiere a que cuando llegó el tiempo, ellos estuvieron en la posición oportuna para servir a Dios, bendecir a Su pueblo y contribuir al avance de Sus propósitos de salvación (Gn 37 – 50; Dn 1 – 6).

Ester también supo que Dios la había puesto en una posición de influencia. Esta joven judía se casó con el rey de Persia al mismo tiempo que Amán, el principal oficial de la corte, concebía un plan para destruir a los judíos. El tío de Ester, Mardoqueo, le dijo:

> ¡Quién sabe si no has llegado al trono precisamente para un momento como este!
>
> **Ester 4:14**

A costa de un gran riesgo para ella, Ester se acercó al rey y salvó a su pueblo exitosamente. *¡Quién sabe si no has llegado a tu puesto en el trabajo precisamente para un momento como este!*

Pregúntate

¿En qué posición te ha colocado Dios?

¿Qué influencia puedes tener estando en esa posición? ¿De qué manera puedes usar esa influencia para servir a Dios y bendecir a los demás? ¿Qué riesgos podría acarrear esto?

El evangelio le da forma a la meta de un negocio

Hacer crecer un negocio, ya sea para adquirir poder, prestigio o prosperidad, no es un fin en sí mismo. He aquí tres modelos para un negocio que apoye a los misioneros o promueva las misiones.

1. **Un negocio para un estilo de vida:** Desarrollar un negocio que permita un estilo de vida que apoye a los misioneros o promueva las misiones. Esto podría implicar, por ejemplo, obtener los ingresos suficientes en cuatro días a la semana y así sacar tiempo para las misiones o trabajar en un papel social que cree oportunidades evangelísticas.
2. **La generación de un ingreso:** Desarrollar un negocio que genere un ingreso para apoyar la plantación de iglesias.
3. **Una renovación económica y social:** Desarrollar un negocio para bendecir a la ciudad creando empleos, proporcionando servicios, generando ingresos fiscales o facilitando el establecimiento de nuevas compañías.

Estos tres modelos se pueden combinar hasta cierto punto. Pero algunas personas van a optar por uno en vez del otro. Pueden, por ejemplo, no invertir tanto tiempo como podrían para maximizar el ingreso (punto 2) y así tener tiempo para plantar iglesias (punto 1).

El evangelio le da forma a la meta de una profesión

Los cristianos enfrentan estos mismos problemas cuando piensan en sus carreras. Los modelos para una profesión orientada al campo misionero se debe ver reflejada en los modelos de negocio vistos antes.

1. **Una profesión para un estilo de vida:** Optar por menos responsabilidades con el fin de tener tiempo para la iglesia y para las misiones, aunque esto limite el progreso profesional.
2. **La generación de un ingreso:** Desarrollar una profesión que genere un ingreso para apoyar la plantación de iglesias.
3. **Renovación económica y social:** Ver tu profesión como una oportunidad para bendecir a tu comunidad en general, aplicar los valores cristianos y usar tu posición para testificar de Cristo.

Aplícalo

» Si trabajas por tu cuenta o diriges una compañía, ¿cuál de los modelos de negocio vistos anteriormente describe mejor tu enfoque? ¿De qué manera te puedes asegurar de que estos sean objetivos genuinos y no la fachada de una búsqueda egoísta de poder, prestigio o prosperidad? Escribe tus respuestas.

» Si eres un empleado, ¿cuál de los modelos de profesión vistos anteriormente describe mejor tu enfoque? ¿De qué manera te puedes asegurar de que estos sean objetivos genuinos y no la fachada de una búsqueda egoísta de poder, prestigio o prosperidad? Escribe tus respuestas.

BUENAS OBRAS 4

Principio

Trabajo como si Jesús fuera mi jefe.

Considéralo

La alarma sonó, Eduardo trató de no hacerle caso, pero no sirvió. Era hora de levantarse. Regresó a la cama sintiéndose desanimado. Era la mañana del martes y todavía faltaban cuatro días antes del fin de semana. Su esposa ya estaba levantada. Eduardo podía oír que estaba cantando en la cocina mientras se preparaba una taza de té. Ella era en verdad una persona madrugadora.

Eduardo se dio la vuelta y cerró los ojos. Su trabajo era aburrido y su jefe era una molestia constante que siempre iba por los objetivos —como si a alguien realmente le importara cuántos contratos de servicio compra cualquier fulano.

Para su esposa, levantarse temprano estaba bien, ella amaba su trabajo. Pero ¿qué razón tenía él para levantarse de la cama?

Estúdialo

Lee Colosenses 3:22 – 4:1

- ¿Qué acciones y actitudes espera Pablo de los trabajadores?
- ¿Cuál es la motivación que les da?
- ¿Qué acciones y actitudes espera Pablo de los jefes?
- Los trabajadores deben trabajar como si Jesús fuera su jefe. ¿Y qué hay de los jefes?

Contextualízalo

¿Cómo es tu jefe? ¿Sientes que él o ella parecen un poco tiranos? O quizá dejan que hagas las cosas por tu propia cuenta gran parte del tiempo. O a lo mejor realmente te apoyan. Tú puedes ser tu propio jefe, pero aun así vale la pena hacerse la pregunta: "¿Cómo es tu jefe?". Si te impulsa la necesidad de tener éxito, entonces puedes ser *tu propio* jefe tirano (y a lo mejor el de tus empleados).

La actitud de nuestro jefe puede tener un gran impacto en el modo en que nos sentimos con relación a nuestro trabajo.

Cuando Pablo escribe a los tesalonicenses, les dice que eviten a los cristianos perezosos. Les recuerda su propio ejemplo cuando estuvo entre ellos.

> Ustedes mismos saben cómo deben seguir nuestro ejemplo. Nosotros no vivimos como ociosos entre ustedes, ni comimos el pan de nadie sin pagarlo. Al contrario, día y noche trabajamos arduamente y sin descanso para no ser una carga a ninguno de ustedes. Y lo hicimos así, no porque no tuviéramos derecho a tal ayuda, sino para darles buen ejemplo.
>
> **2 Tesalonicenses 3:7-9**

Pablo pudo haber recibido dinero de ellos por su ministerio. Pero él optó por trabajar noche y día porque quería darles un ejemplo de alguien que trabaja duro y no de alguien que es una carga para los demás (ver Hch 20:33-35).

El trabajo y la gracia de Dios

Los cristianos deben encontrar un compromiso renovado para trabajar duro. No es que nosotros trabajemos duro para ganar la aprobación de Dios, más bien recibimos la aprobación de Dios como un regalo. Así es la ecuación que tiende a funcionar en el mundo que nos rodea:

Actividad (lo que hacemos) ➲ identidad (quiénes somos)

En otras palabras, quién "soy yo" se basa en lo que "yo hago". Yo soy una exitosa persona de negocios si tengo éxito en estos. Yo soy una buena madre si tengo niños adorables. Yo soy un profesional si obtengo los títulos necesarios. Yo soy un buen trabajador si trabajo duro.

Pero la gracia de Dios pone de cabeza toda esta manera de pensar de tal forma que va en contra de toda lógica.

> Porque por gracia ustedes han sido salvados mediante la fe; esto no procede de ustedes, sino que es el regalo de Dios, no por obras, para que nadie se jacte. Porque somos hechura de Dios, creados en Cristo Jesús para buenas obras, las cuales Dios dispuso de antemano a fin de que las pongamos en práctica.
>
> **Efesios 2:8-10**

Si la actividad conduce a la identidad, entonces yo puedo ser salvo solo si hago buenas obras. Pero no son mis obras las que me hacen lo que soy, sino la obra de Dios. Nosotros somos hechura de Dios. Es la obra de Cristo en la cruz la que me salva, ella me hace una persona salva aprobada por Dios.

La gracia de Dios pone de cabeza la manera de ser del mundo. En lugar de *actividad (lo que hacemos)* ➲ *identidad (lo que somos)*, con la gracia de Dios la fórmula cambia a:

Identidad (quién soy) ➲ actividad (lo que hago)

Dios me hace una buena persona (una persona que es declarada justa a Su vista) por medio de Cristo. En Cristo soy alguien que hace buenas obras. Mis buenas obras no me hacen lo que soy. En cambio, ellas son la expresión natural de quién soy como resultado de la obra de Dios.

Tú no puedes convertir un árbol cualquiera en un árbol de manzanas pegando las manzanas al árbol. Si un árbol es un árbol de manzanas, entonces va a dar manzanas —por supuesto que las va a dar: eso es lo que hacen los árboles de manzanas. De la misma manera, tú mismo no te puedes hacer una buena persona "pegándole" buenas obras a tu vida. Pero si eres una buena persona, vas a producir buenas obras —por supuesto que lo vas a hacer; eso es lo que la gente buena hace.

¿Cuál es el resultado del trabajo de Cristo por nosotros y del trabajo del Espíritu Santo en nosotros? Que somos "creados en Cristo Jesús para buenas obras [para un buen trabajo], las cuales Dios dispuso de antemano a fin de que las pongamos en práctica". Por tanto, en el lugar de trabajo (como en el resto de la vida) vamos a hacer un buen trabajo.

El trabajo y la gloria de Dios

Pero ¿cuál es el origen de este compromiso renovado para trabajar? Este compromiso nacerá del hecho de que los cristianos vuelvan a descubrir que el trabajo se puede hacer para la gloria de Dios.

> Esclavos, obedezcan en todo a sus amos terrenales, no solo cuando ellos los estén mirando, como si ustedes quisieran ganarse el favor humano, sino con integridad de corazón y por respeto al Señor. Hagan lo que hagan, trabajen de buena gana, como para el Señor y no como para nadie en este mundo, conscientes de que el Señor los recompensará con la herencia. Ustedes sirven a Cristo el Señor.
>
> **Colosenses 3:22-24**

Nosotros trabajamos "con integridad de corazón y por respeto al Señor". Trabajamos "como para el Señor"; buscamos que Él nos dé "una recompensa"; "servimos a Cristo el Señor". Los trabajadores deben trabajar como si Jesús fuera su jefe. Pero también los jefes deben hacer las cosas sabiendo lo mismo: "Amos, proporcionen a sus esclavos lo que es justo y equitativo, conscientes de que ustedes también tienen un Amo en el cielo" (Col 4:1). Pablo no solo dice que nos podemos deleitar en nuestro trabajo; nos dice también que nos podemos deleitar en el hecho de que Dios se deleita en nuestro trabajo.

"¿Por qué no estás trabajando?", le dijo un jefe a uno de sus empleados. "Porque no me di cuenta de que venías". Es muy fácil trabajar duro o seguir los procedimientos correctos cuando nuestro jefe nos puede ver, pero cuando no nos ve, lo hacemos de la forma más fácil o menos costosa. Sin embargo, debemos trabajar como si Jesús fuera nuestro jefe, y Jesús nos ve todo el tiempo. Aun cuando nadie más reconozca lo que nosotros hacemos, podemos encontrar placer en saber que estamos complaciendo a Dios.

Pregúntate

- ¿Cómo cambia tu enfoque del trabajo cuando trabajas como si Jesús fuera tu jefe?
- ¿Los cristianos consiguen mejores empleos? ¿Deberían? ¿Esto depende de la mezcla de la habilidad y la actitud que se requieren para un trabajo?
- ¿Los cristianos son mejores jefes? ¿Deberían serlo?

Aplícalo

- Enumera las cualidades cristianas que hacen que alguien sea un buen trabajador. De esas cualidades que enumeraste:
  - ¿Cuáles practicas?
  - ¿Cuáles estarías dispuesto a practicar de ahora en adelante?
  - ¿Cómo practicar estas cualidades te ayudan a enfocarte en trabajar como si Jesús fuera tu jefe?

PARTE DOS

EL TRABAJO QUE TRANSFORMA

ME PREOCUPA MI TRABAJO

Principio

Ya que confío en el control de Dios, no voy a tenerle miedo a los problemas.

Considéralo

Carlos inspeccionó el daño. El carro ya no se podía recuperar, pero al menos él estaba bien y parecía que su equipo estaba intacto. Pero, ¿qué iba a hacer ahora?

Se suponía que en una hora debía estar presente en una boda y la gente no ve con buenos ojos que su fotógrafo los deje plantados. ¿Podría dejar el coche solo junto al camino? ¿Pero cómo llegaría a la iglesia?

¿Qué iba a hacer?

"Piensa en soluciones". Esto es lo que siempre le decía el jefe a Amanda: "Piensa en soluciones". Lo peor del caso es que ella sabía que esto era su culpa. Por supuesto, debía haberse asegurado de confirmar bien si alguno de los invitados era vegetariano, pero de alguna manera lo pasó por alto.

Ahora cuatro personas querían la opción vegetariana y ella no la tenía. ¿Unos huevos? No en una boda para personas adineradas y no por el precio que los clientes estaban pagando. Su corazón latía a toda velocidad. Después, una de las meseras le dijo que los bocadillos se estaban acabando.

¿Qué iba a hacer?

Estúdialo

Lee Marcos 4:35-41

- ¿Cuál es el problema que los discípulos enfrentan?
- ¿Cuál dice Jesús que es su problema?
- ¿Cuándo te sientes ansioso por tu trabajo?
- ¿Cuál es la respuesta al miedo?

Contextualízalo

¿Alguna vez te has preocupado por tu trabajo? Por supuesto que te has preocupado. Tengo la sospecha de que la mayoría de nosotros lo hemos hechos (o lo estamos haciendo) de vez en cuando.

De acuerdo con la Ley de Murphy: *lo que puede salir mal, va a salir mal.* En cierto sentido, esto puede sonar un poco pesimista. Pero con toda seguridad muchas de las cosas que se hacen en el lugar de trabajo salen mal. Las cosas no se pueden arreglar y faltan las partes. Las tuberías tienen goteras y los circuitos queman los fusibles. Las ventas fracasan y los plazos no se cumplen. Los clientes se ponen furiosos y los jefes se vuelven irrazonables. ¡Y eso que solo es lunes!

El lugar de trabajo puede ser un lugar de estrés extremo. Lo puede ser el trabajo mismo. No puedes hacer lo que se supone que debes hacer —por lo menos no en el plazo de tiempo requerido. A lo mejor has cometido un error o la tarea está más allá de tus habilidades. Tal vez los compañeros de trabajo o los proveedores te han defraudado. O puede ser que otra persona haga que el trabajo sea estresante: unos compañeros de trabajo incómodos, unos clientes difíciles o un jefe dominante.

¿Qué hacemos en esos momentos de estrés?

Hay un montón de herramientas que nos ayudan a lidiar con las presiones del trabajo —correos electrónicos, calendarios en línea, listas de tareas, tableros de pared, teléfonos inteligentes. Y muchos de estos tienen un enorme valor. Pero debemos tener cuidado con la ilusión de que nosotros siempre podemos tener el control. Piensa en lo que sucede si pensamos que tenemos el control o si pensamos que podemos abordar todos los problemas solo si nos esforzamos más.

- Vamos a tener la tendencia de trabajar en exceso para asegurarnos de que todo esté bajo control.
- Vamos a poner una presión excesiva sobre los compañeros de trabajo para asegurarnos de que todo esté bajo control.
- Nos vamos a sentir angustiados cuando sintamos que las cosas no están bajo control.

En Marcos 4:35-41 el evangelista describe una noche cuando Jesús estaba en una barca con Sus discípulos. Algunos de los discípulos eran pescadores de oficio, así que este era su ambiente de trabajo. Jesús se la había pasado predicando todo el día. Tal vez los discípulos se sentían aliviados de estar haciendo una tarea que ellos sabían cómo hacer. Esta había sido su área de competencia.

Pero entonces se desata una furiosa tormenta. ¡Pronto su lugar de trabajo está en caos! En sentido figurado ellos estaban más allá de su conocimiento o capacidad y parece ¡como si ellos literalmente fueran a estar más allá de su conocimiento o capacidad! En este caos Jesús simplemente reprende a la tormenta. "¡Silencio! ¡Cálmate!", le dice. Y de inmediato todo está en calma. Jesús tiene el completo control. "¿Por qué tienen tanto miedo?", dijo a sus discípulos, "¿Todavía no tienen fe?".

Parece un poco duro. Después de todo, algunos de los discípulos eran pescadores experimentados. Con toda seguridad su evaluación de la tormenta era precisa. Y por supuesto que lo era. Era su evaluación de Jesús la que no era precisa. "¿Quién es este?", se preguntaron entre ellos. Si ellos hubieran sabido la respuesta a esta pregunta, entonces la fe hubiera reemplazado al miedo.

¿Qué problemas enfrentas en el trabajo? ¿Qué "tormentas"? La evaluación de tus problemas en el trabajo puede ser precisa. Puede ser un caos. El desastre se puede estar acercando. Pero ¿qué hay en cuanto a tu evaluación de Jesús? ¿Cuál es tu respuesta a la pregunta *quién es este*?

Esta es la verdad a la que tenemos que aferrarnos con firmeza: **Jesús tiene el control de las situaciones en nuestro trabajo. Él sí contesta la oración y Él puede resolver los problemas del trabajo.**

Esto no quiere decir que cada una de las "tormentas" van a ser calmadas o que cada uno de los desastres se van a evitar. Los proyectos van a fracasar, los trabajos van a salir mal, los compañeros de trabajo nos van a defraudar, hasta nos pueden despedir. **Pero Jesús tiene el control.** Los propósitos de Jesús para nosotros siempre son buenos. No siempre son lo "bueno" que nosotros podríamos escoger para nosotros mismos. A veces son incluso mejores. Porque el propósito que Dios tiene para nosotros es que nosotros lo podamos conocer a Él, podamos disfrutar de Él y podamos llegar a ser como Él (Ro 8:28-30).

Hebreos 12:4-11 dice que Dios disciplina a Sus hijos. No es que nos castigue por nuestro fracaso —Él siempre es misericordioso con nosotros, y todo el castigo Jesús lo llevó en la cruz. Mejor piensa en esta disciplina como si fuera un programa de iniciación. Frecuentemente a un nuevo empleado se le entrega un plan de actividades a desarrollar en una nueva compañía. En ese plan quizás le pidan ejercer distintos roles en la empresa para que así pueda entender cómo funciona el negocio. Dios ha diseñado un plan de actividades con el fin de prepararte para el cielo. Ese plan de actividades se llama vida. Todos sus altibajos Dios los ha diseñado de manera especial para formarte con amor en un buen siervo y en un feliz hijo de Dios. Los problemas actuales que enfrentas en el trabajo son parte de ese programa.

> Ciertamente, ninguna disciplina, en el momento de recibirla, parece agradable, sino más bien penosa; sin embargo, después produce una cosecha de justicia y paz para quienes han sido entrenados por ella.
>
> **Hebreos 12:11**

Pregúntate

- ¿De qué manera ayudará a Carlos y a Amanda el recordar el cuidado soberano de Dios? ¿Qué diferencia podrían notar sus compañeros de trabajo o sus clientes?
- ¿Oras por tu trabajo? Si no lo haces, ¿por qué no?
- ¿Oras en el trabajo cuando surgen los problemas o las oportunidades? ¿Hay otros cristianos en tu lugar de trabajo con quienes puedas orar?

Aplícalo

- Ora al Señor por tu trabajo regularmente. Busca compañeros o amigos que te ayuden a orar por ti cuando el trabajo se vuelva estresante o cuando alguna tarea que tenías planeada salga mal. Recuerda que Dios tiene el control y hace que todas las cosas nos ayuden para bien.

LE TENGO MIEDO A MI JEFE

6

Principio

Ya que busco la aprobación de Dios, no voy a tenerle miedo a la gente.

Considéralo

Clara, miembro del grupo en casa de Karen, estaba enferma. Karen iba a ir a visitarla en la tarde para hacerle de comer. Estaba pensando en lo que iba a hacer y los ingredientes que iba a comprar en el camino del trabajo a la casa.

Si salía a las cinco, pensaba, podría estar en el supermercado en quince minutos, en la casa de Clara poco después de las seis, y la comida podría estar lista a las siete.

Entonces su jefe llega a su escritorio y le dice: "¿Me puedes preparar las cifras de las ventas que ya se revisaron?".

"Eso suena como una pregunta", pensó Karen. Pero ella sabía que en realidad era una orden.

"¿Las puedo hacer mañana en la mañana?", preguntó Karen.

"Lo siento, las necesito para una junta a las nueve".

"¿Qué puedo hacer?", pensó Karen.

"Solo me queda decepcionar a Clara".

Estúdialo

Lee Daniel 3:1-30

- ¿Qué clase de jefe es Nabucodonosor?
- ¿Qué es lo que les permite a Sadrac, Mesac y Abednego hacer lo correcto?
- ¿Cuál es el resultado de la historia?
- ¿Qué resultado alternativo contemplan Sadrac, Mesac y Abednego en el versículo 18?
- ¿Qué lecciones hay para ti en esto?

Contextualízalo

Este es un importante dilema en el lugar de trabajo. Sadrac, Mesac y Abednego son empleados del servicio civil de Babilonia. Nabucodonosor organiza una conferencia masiva de trabajo para todos sus empleados. En la agenda solo hay una cosa a realizar: Todos deben expresar su lealtad a la compañía inclinándose ante su imagen de nueve metros de alto. Ah, y una cosa más: los que se nieguen a hacerlo serán quemados en un horno.

Sadrac, Mesac y Abednego son fieles al Dios de Israel, así que ellos se niegan a inclinarse ante la imagen de Nabucodonosor. "¡No hace falta que nos defendamos ante su Majestad!" (Dn 3:16). No es que ellos sean indiferentes a la opinión de Nabucodonosor. Ellos son respetuosos con él a lo largo de la historia y lo siguen llamando "Su Majestad" (ver Dn 3:17, 18, 24). No son trabajadores antipáticos que desatienden sus responsabilidades a la más mínima oportunidad o chismosean a espaldas de su jefe. Ya han probado ser trabajadores esforzados (Dn 1:7, 18-20).

La opinión de Nabucodonosor les importa, pero no tanto como la opinión de Dios. Hablan de "el Dios al que servimos". Sirven al rey Nabucodonosor, pero su lealtad a Dios está en primer lugar. Por tanto, "en este asunto", la opinión del rey siempre estaría en segundo lugar.

El miedo a las otras personas es un gran problema en el lugar de trabajo. Muchas veces será un miedo a nuestro jefe. Pero puede haber otros compañeros de trabajo cuya aprobación ansiamos y cuyo rechazo tememos. No es malo querer agradar a las personas o desear su aprobación. Encontrar una persona indiferente a estas cosas es casi imposible. Pero el deseo de aprobación y el miedo al rechazo con mucha facilidad nos pueden controlar y pueden convertirse en un problema. Algunos posibles síntomas son:

- No poder decir "no" a las exigencias del trabajo.
- Exagerar tus logros o restar importancia a tus fracasos.
- Crear una diferencia entre tu vida privada y tu vida pública o entre tu imagen en la iglesia y tu imagen en el trabajo.
- Guardar silencio en lo referente a ser cristiano por miedo a ser ridiculizado o no estar a la moda.
- Mentir para cubrir tus errores o defectos.
- Fingir ser alguien que no eres con el fin de integrarte o esconder la persona que realmente eres.
- No aprovechar las oportunidades para hablar de Jesús porque te preocupa lo que la gente podría pensar.

La Biblia llama a esto "el temor del hombre", pero la solución que da a este problema es simple: **el temor de Dios.** O ponlo de esta otra manera: entre más captes la majestad, gloria, santidad, misericordia, amor, juicio y belleza de Dios, más te va a importar Su opinión por encima de la opinión de cualquier otro.

Este fue el secreto de Sadrac, Mesac y Abednego. Nabucodonosor era un hombre aterrador. Él "se puso muy furioso" (Dn 3:13, 19). Ordenó que el horno se calentara siete veces más de lo acostumbrado —tan caliente estuvo que rostizó a los soldados que llevaban a cabo las órdenes del rey de echar dentro a los tres hombres. Pero Sadrac, Mesac y Abednego reconocen que Dios es todavía más aterrador.

"¡Y no habrá dios capaz de librarlos de mis manos!", les dice Nabucodonosor. Pero Sadrac, Mesac y Abednego saben que el Dios verdadero los puede librar (Dn 3:17) e, incluso si no lo hace, ellos van a seguir desobedeciendo a Nabucodonosor antes que al Dios vivo (Dn 3:18). Jesús dice:

> A ustedes, mis amigos, les digo que no teman a los que matan el cuerpo, pero después no pueden hacer más. Les voy a enseñar más bien a quién deben temer: teman al que, después de dar muerte, tiene poder para echarlos al infierno. Sí, les aseguro que a Él deben temerle.
>
> **Lucas 12:4-5**

La respuesta al temor al hombre es el temor de Dios. La lógica de Jesús es clara. Lo peor que cualquier ser humano puede hacer es matar tu cuerpo. Más allá de eso, no hay nada más que ellos te puedan hacer. Pero Dios te puede mandar a una muerte eterna en el infierno.

La respuesta es poner el miedo a la gente en la perspectiva correcta. Cuando tenemos miedo al rechazo de alguien, esa persona cobra relevancia en nuestras mentes. Su opinión cuenta para todo y perdemos la perspectiva. Pero cuando vemos la majestad, santidad, gloria, amor, misericordia, poder y benignidad de Dios, entonces comenzamos a recuperar la perspectiva correcta.

Las personas todavía se pueden enojar o disgustar con nosotros. Sadrac, Mesac y Abednego estuvieron dispuestos a ser despedidos —¡y rostizados! (Dn 3:17-18). Pero la ira de los demás no nos va a afectar de la misma manera cuando nos damos cuenta de que lo que realmente importa es la aprobación de Dios.

Y esto es lo precioso: **nosotros ya tenemos la aprobación de Dios en Cristo.** En Cristo, Dios nos declara justos y nos adopta en Su familia. Nada de lo que nosotros podamos hacer —bueno o malo— puede deshacer el hecho de que somos los hijos y las hijas de Dios. Y tampoco nada de lo que la gente nos pueda hacer puede cambiar esa realidad. Así es como funciona para mí en la práctica. Cuando me doy cuenta de que la opinión de alguien más está afectando mi comportamiento o mis emociones, con frecuencia recurro al Salmo 27:1:

> El Señor es mi luz y mi salvación;
> ¿a quién temeré?
> El Señor es el baluarte de mi vida;
> ¿quién podrá amedrentarme?

Me lo repito una y otra vez, todo el tiempo meditando en su mensaje: "¿Quién ilumina mi vida? ¿Quién me ofrece salvación? ¿Quién es mi baluarte? No este ser humano, cuya opinión parece que me importa demasiado. No, el Señor es mi baluarte. ¿A quién temeré? A la única persona a la que le debo temer es a Dios y Él es mi Padre amoroso".

Tener la perspectiva correcta de Dios nos da la libertad para servir mejor a las otras personas. Sin ella, solo los servimos por lo que obtenemos —ganar su aprobación o evitar su rechazo. Cuando ponemos en primer lugar a Dios, esto nos da la libertad para servir a las otras personas en amor.

Pregúntate

- Un importante empresario cristiano dijo que muchas veces los cristianos son malos jefes porque creen que siempre deben ser "agradables" —que nunca deben confrontar a las personas, que siempre deben perdonar, que siempre deben afirmar. ¿Es esta tu experiencia? ¿Qué es lo que haces con esta actitud? ¿De qué manera el temor de Dios nos puede liberar para ser buenos jefes?
- Las personas que no confían en la grandeza de Dios muchas veces intervienen demasiado porque tienen la necesidad de controlar todo. Las personas que no están acudiendo a Dios para encontrar ahí la aprobación a menudo les hace falta intervenir porque quieren caerle bien a todo el mundo. ¿Tienes la tendencia a intervenir demasiado o te hace falta intervenir? ¿De qué manera la fe en Dios te ayuda a mantener el equilibrio entre una tendencia y otra?

Aplícalo

- Ora el Salmo 27 esta semana. Pide a Dios que te permita entender cada día que ya eres aprobado por Él en Jesús.
- ¿Cómo podrías actuar de ahora en adelante en tu lugar de trabajo sabiendo que ya tienes la aprobación de Dios?

NO SOPORTO LA IDEA DE FRACASAR

7

Principio

Ya que recibo la gracia de Dios, no voy a tenerle miedo al fracaso.

Considéralo

Armando estaba sentado detrás del volante esperando a que la luz del semáforo cambiara. Se sentía cansado. Su equipo de trabajo, una vez más, no había alcanzado la meta de ventas. El gerente del área de ventas había estado con él toda la tarde. Todo el tiempo se la pasó hablando de la sucursal vecina, de lo bien que lo estaba haciendo y de lo dinámico que era el equipo. Todo el mes Armando estuvo encima de sus compañeros, pero la única diferencia que esto hizo fue aumentar el resentimiento de ellos contra él. Se sintió como basura mientras avanzaba con toda lentitud en medio del tráfico de la hora pico.

Todavía se sentía como basura mientras tomaba una taza de té en su asiento después del estudio de la Biblia que había tenido con su pequeño grupo. No había dicho mucho en toda la noche. No sentía que podía contribuir —y de cualquier manera no tenía mucho qué ofrecer esa noche. "¿Estás bien?", le preguntó Jorge.

Armando pensó mientras le daba unos sorbos a su té. ¿Le debía contar a Jorge toda la historia? Pero ¿cuál sería el punto? Después de todo, ¿qué podía decir o hacer Jorge para ayudarlo?

Estúdialo

Lee Tito 2:9-15

- ¿De qué manera se deben comportar los trabajadores cristianos?
- ¿Qué efecto tendrá este comportamiento en los cristianos?

Lee Tito 3:1-8

- ¿Qué les da a los cristianos su identidad y su valor?
- ¿A qué clase de comportamiento conduce esto?

Contextualízalo

En la visión medieval del mundo una persona comprobaba que estaba bien ante Dios por medio de las obras religiosas. Y la mejor forma de hacer eso, pensaba la gente, era por medio de las disciplinas espirituales y la contemplación. Así que lo mejor que uno podía hacer era volverse un monje. Tú dejabas atrás el mundo real del trabajo ordinario y te ibas a orar.

La gran fuerza impulsora detrás de la Reforma Protestante fue un redescubrimiento de lo que la Biblia realmente dice acerca de estar bien con Dios. La Biblia dice que nosotros nos volvemos justos para con Dios por medio de lo que Dios ha hecho —y para nada por medio de lo que nosotros hacemos. "Él [Dios, nuestro Salvador] nos salvó", dice Pablo en Tito 3:5-7, "no por nuestras propias obras de justicia, sino por Su misericordia. Nos salvó mediante el lavamiento de la regeneración y de la renovación por el Espíritu Santo, el cual fue derramado abundantemente sobre nosotros por medio de Jesucristo nuestro Salvador. Así lo hizo para que, justificados por Su gracia, llegáramos a ser herederos que abrigan la esperanza de recibir la vida eterna".

Esto quiere decir que no tenías que marcharte a un monasterio para que pudieras ser justo ante Dios. Tú podías servir a Dios en el mismo lugar donde te encontrabas. Dios te hacía justo ante Él como un don de misericordia y entonces tú podías experimentar tu nueva identidad en la vida diaria.

La gente a menudo habla de la "ética laboral protestante". La ética laboral protestante es el compromiso con el trabajo, que surgió debido al valor que la Reforma le dio al trabajo. Ser un cristiano no se trataba de escapar del mundo del trabajo común, sino de servir a Dios en el mundo verdadero.

En la actualidad la gente muchas veces afirma que la ética laboral protestante es la razón por la cual nuestro mundo está lleno de estrés en el trabajo moderno. Pero el problema no es la ética laboral protestante como la redescubrieron los reformadores. El problema es lo que pasó después en la historia.

Justificación por el trabajo

En la visión que la Biblia tiene de la vida, el trabajo es solo *una manera* en la que puedes servir a Dios. El descanso es otra forma. Trabajamos y descansamos para la gloria de Dios. Lo que importa es Dios y Su gloria. Lo que importa es lo que Dios ha hecho por nosotros, haciéndonos justos ante Él por medio de la muerte de Jesús.

Pero cuando la secularización vino, se sacó a Dios del cuadro.

Ahora encontramos el sentido de la vida en el trabajo mismo. Nuestro sentimiento de ser una persona de valor se encuentra no en nuestra relación con Dios, sino en el trabajo. Dicho de otro modo, buscamos, de manera inconsciente, justificarnos a nosotros mismos por medio de nuestros trabajos o de nuestros roles seculares. Solo piensa en cómo la gente contestaría a estas preguntas: "¿Qué haces y cuánto ganas?". La mayoría contestaría con el título de un trabajo y la cifra de un sueldo. El trabajo se ha convertido para muchas personas en el indicador de quiénes son. Es la identificación de nuestro papel y valor con el trabajo lo que produce el impulso para tener éxito. Nuestra identidad depende de esto.

La revolución de la información en algunos aspectos ha empeorado esto todavía más. El trabajo, para mucha gente, se ha vuelto mucho más interesante. No solo estamos en la línea de producción de una fábrica haciendo lo mismo una y otra y otra vez; esa es una buena noticia. Muchas personas el día de hoy disfrutan trabajos más interesantes.

Pero también crea incluso mayores expectativas. Nosotros queremos que el trabajo sea gratificante. El valor del trabajo se mide por el sentido de realización personal que produce. Antes, en la pasada generación, a la gente le enorgullecía trabajar, hasta en trabajos monótonos, porque proveían para sus familias y servían a la comunidad en general. El trabajo se juzgaba por el servicio que prestaba a los demás.

Pero el día de hoy todo se trata de mí. El trabajo se juzga por el servicio que me presta a mí, el trabajador. Buscamos la "salvación" (el sentido, la satisfacción y el honor) en los trabajos que "recompensan". Los gurús de la administración ya no nos dicen solo cómo presidir una buena junta o cómo hacer un buen producto, ahora ellos prometen poner en libertad tu potencial interno para que puedas encontrar el sentido y la satisfacción. Ofrecen la salvación desde adentro. Las compañías el día de hoy hablan usando el lenguaje religioso de la identidad, el sentido, la misión y los valores. Esto no es un accidente.

Si nosotros vemos el trabajo como la salvación, como el medio por el cual encontraremos nuestra identidad o satisfacción, entonces el fracaso en el trabajo va a ser una experiencia devastadora. Por supuesto que lo va a ser, porque mi identidad depende de que yo sea un "éxito". Un buen día vas a estar lleno de orgullo por todo lo que has logrado. Vas a pensar de ti mismo como "un hombre o una mujer artífice de tu éxito". Y un mal día en el trabajo te va a dejar en ruinas porque tu propio ser está en juego.

Justificación por gracia

> Nosotros somos judíos de nacimiento y no "pecadores paganos". Sin embargo, al reconocer que nadie es justificado por las obras que demanda la ley sino por la fe en Jesucristo, también nosotros hemos puesto nuestra fe en Cristo Jesús, para ser justificados por la fe en Él y no por las obras de la ley; porque por estas nadie será justificado.
>
> **Gálatas 2:15-16**

Por "obras que demanda la ley", Pablo se refiere a los deberes religiosos de los judíos. Pero el mismo principio se aplica a nuestra visión moderna del trabajo. Podríamos decir que el trabajo no justifica a una persona. En vez de eso somos justificados por le fe en Cristo. Esa es una forma abreviada de decir que somos justificados por confiar en la obra que Cristo ha hecho en la cruz, al ser unidos con Él por medio de la fe de tal manera que Su muerte sea nuestra muerte, Su vida sea nuestra vida y Su aprobación delante de Dios sea nuestra aprobación delante de Dios.

Encontrar nuestra identidad en Cristo nos ayuda a librarnos de nuestras inseguridades. Somos hijos de Dios y eso no lo puede alterar un buen día en el trabajo o un día lleno de errores y fracasos. Cuando volteamos a nuestros trabajos para encontrar nuestra identidad, esto tiene la tendencia de tener un efecto enfermizo en las relaciones de trabajo. Pero cuando estamos seguros de nuestra identidad en Cristo, entonces somos aptos para trabajar en una atmósfera de franqueza y honestidad, la cual necesitan los equipos saludables para prosperar. Nos permite hacernos preguntas como: "¿Lo estamos haciendo bien?" y: "¿De qué manera podemos mejorar?" sin ser aplastados por descubrir de qué modo estamos fallando.

Cuando tu trabajo es interesante y gratificante, cuéntalo como una gran bendición. Pero no lo hagas la base de tu identidad. Si tu trabajo es ordinario o frustrante, entonces alégrate de que eres un hijo de Dios por medio de la fe en Cristo y haz tu trabajo para Su gloria.

Pregúntate

Una causa común de tensión que existe en el lugar de trabajo es la inseguridad, sobre todo cuando es un jefe el que es inseguro. A la gente le preocupa su posición, futuro o reputación. Esto puede hacer:

- **Que se vuelvan arrogantes** cuando presionan a la gente para que cumplan.
- **Que estén a la defensiva** cuando rechazan cualquier crítica.
- **Que sean ineptos** cuando se niegan a confrontar a los compañeros de trabajo.

? ¿Cuáles de estas cosas reconoces en tus compañeros de trabajo? ¿Cuáles reconoces en ti? ¿De qué manera el evangelio nos libera de estas inseguridades para que podamos ser buenos trabajadores?

Aplícalo

» Piensa en las cosas que hiciste en tu trabajo la semana pasada. ¿Cuántos errores cometiste? ¿Cuántas cosas no salieron como esperabas? ¿Cómo el saber que eres justificado por gracia te puede ayudar a superar el temor a esas situaciones? ¿Cómo actuarías en el futuro cuando llegues a enfrentar situaciones similares? Escribe tus respuestas

ME CUESTA TRABAJO PARAR

8

Principio

**Ya que confío en la provisión de Dios,
puedo equilibrar el trabajo y el descanso semanal.**

Considéralo

Pablo se reclinó en su silla y bostezó. Ya eran más de las seis y calculó que por lo menos le llevaría otra media hora antes de que la bandeja de entrada estuviera vacía. ¿A lo mejor estaría en casa a eso de las 7:30 de la noche? Se sentía culpable por no acostar a los niños una vez más. Pero ¿qué podía hacer?

Gloria se sentó en el sillón con una taza de té. Eran las 7:30 de la noche. Tomó un par de tragos de su té y después miró su celular. Detestaba tener correos electrónicos en su bandeja de entrada. Cuando su bandeja de entrada estaba vacía, sentía como si tuviera el control de las cosas. Se inclinó para cogerlo.

"¡Oh, no, no lo hagas!", le gritó su esposo. "No hay correos".

"Tú no entiendes", le contestó ella. Odiaba pensar que hubiera un correo que no hubiera contestado. Ella podía sentir que la tensión subía entre ellos mientras oprimía el botón —pero ¿qué podía hacer?

Estúdialo

Lee Lucas 12:22-34

- ¿Qué observación está haciendo Jesús cuando nos recuerda que las flores no hacen ningún trabajo?
- ¿Tras de qué cosas está corriendo el mundo pagano?
- ¿Qué evita que corramos de un lado a otro y estemos demasiado ocupados?

Contextualízalo

Hace unos cuantos años, los investigadores de La Facultad de Prensa de la Universidad de Oxford analizaron el lenguaje que se usaba en los periódicos, revistas y blogs. Estos son los diez primeros sustantivos que usamos en orden inverso: "mano", "vida", "mundo", "hombre", "cosa", "día", "manera", "año", "persona" y en el top de la lista, "tiempo". El "tiempo" no solo es el número uno, sino que "año" es el tercero, "día" es el quinto y "semana" es el décimo séptimo. La palabra "trabajo" es el quinceavo sustantivo que se usa con más frecuencia, pero "jugar" y "descansar" ni siquiera figuraron en los 100 primeros.

¿Te has sentido *demasiado* ocupado el último año, el último mes, la última semana? Esto es un gran problema en nuestra cultura. Parece que tenemos una cultura adicta al trabajo, y el equilibrio entre el trabajo y la vida se está volviendo una gran preocupación. También es un gran problema que afecta a la iglesia. Queremos pasar más tiempo orando, leyendo nuestras Biblias, sirviendo a la iglesia y evangelizando a nuestra comunidad —pero no tenemos tiempo.

Balance entre el trabajo y el descanso

Algunas personas descansan para trabajar: El único valor que le ven al descanso es hacer más trabajo productivo. Algunas personas trabajan para descansar: El único valor que le ven al trabajo es tener un ingreso para disfrutar el tiempo libre. Pero de acuerdo con la Biblia, el trabajo es bueno y el descanso es bueno. La Escritura elogia el trabajo duro (Pro 6:6-11, 2Ts 3:6-13). Pero también elogia el descanso (Éx 20:8-11).

El cuarto mandamiento en Éxodo 20:8-11 dice que debemos descansar porque Dios mismo descansó. El descanso es piadoso porque es semejante a Dios. El cuarto mandamiento en Deuteronomio 5:12-15 dice que los israelitas debían descansar porque Dios los redimió de la esclavitud en Egipto. El día del Sabbath es una expresión de ser salvado de la esclavitud del trabajo sin descanso bajo Faraón al servicio gozoso y la bendición bajo el reinado de Dios. También es una expresión de confianza en la provisión de Dios, pero nos insta a que nos tomemos un día libre en el que no seamos productivos.

El día del Sabbath era una señal del pacto con Moisés (Éx 31:12-17) y algo que apunta al descanso que está por venir y que Jesús nos ofrece. Los cristianos ya no están más bajo la ley mosaica (ver Ro 7:6, 1Co 9:20-21, Heb 8:13). Pero el principio del Sabbath de equilibrar el trabajo y el descanso en un periodo de siete días todavía tiene mucho que enseñarle a nuestra cultura adicta al trabajo. Muchas veces trabajamos excesivamente durante todo el año y después tratamos de amontonar todo nuestro descanso en unas vacaciones de dos semanas. Pero el patrón saludable es un equilibro de trabajo y descanso en una semana.

¿Cómo lograr un balance entre el trabajo y el descanso?

En la mayoría de los casos nosotros mismos nos autocargamos de trabajo. No es que tomemos la decisión en la mañana: "Hoy voy a trabajar en exceso". Pero nuestro ajetreo es el resultado de las decisiones que tomamos y de los deseos que alimentamos.

Muchas veces no pensamos de esta manera. Culpamos a nuestros jefes o a la economía, al gobierno o a nuestros cónyuges. "Tú no entiendes —puedes estar pensando— Tengo responsabilidades. Me tengo que quedar hasta tarde. Tengo que trabajar horas extras. Hay tanto qué hacer, solo que el día no alcanza". Pero Dios puso veinticuatro horas en cada día y Dios no comete errores. Así que el problema no es que no haya horas suficientes en el día. El problema es que tú estás tratando de hacer demasiado —más de lo que Dios espera.

La provisión para tu identidad

Algunos de nosotros estamos ocupados, como lo vimos en el capítulo anterior, porque encontramos identidad en nuestro trabajo. En el primer curso de capacitación en administración al que asistí se nos dio un consejo que siempre he recordado: "No digas a las personas qué tan ocupado estás porque lo que ellas van a escuchar es: 'No tengo tiempo para ti'". Así que ¿por qué seguimos diciéndole a la gente lo tan ocupados que estamos? ¿Qué es lo que estamos tratando de comunicar? "Estoy haciendo un buen trabajo. Valgo lo que me pagan. Soy importante; yo importo. Me deben admirar. Me deben valorar".

Si estás ocupado tratando de probarte que vales, entonces siempre vas a estar ocupado. Nunca vas a terminar el trabajo, porque no te puedes probar que vales. Vas a ser como un perro que persigue su cola. Jesús gritó en la cruz: "Consumado es". El trabajo está terminado. Hay una expiación completa. No queda nada que tú puedas hacer. Esto es lo que tienes que hacer en cuanto al ajetreo que resulta por tratar de probarte que vales: ¡nada! —todo ya ha sido hecho.

Una vez más, como hemos visto, algunos de nosotros estamos ocupados porque no podemos decir "no". Ansiamos aprobación o tememos al rechazo de la gente. La buena noticia es que Dios es mayor y que vivir para Él nos libera para que la aprobación o la desaprobación de otros no nos controle.

La provisión para tus necesidades

Algunos de nosotros estamos ocupados porque necesitamos tener el control. Nos preocupamos por el futuro. "No necesitamos el dinero en este momento, pero ¿quién sabe lo que nos depare el futuro?", diríamos. O nos preocupamos por la gente, pensando que nos necesita. Pero nosotros no tenemos el control del mundo y no podemos resolver todos los problemas. No somos salvadores y no somos Dios. ¡Pero la buena noticia es que Dios es Dios! Tenemos un Padre en el cielo que controla el mundo y cuida de Su pueblo.

Algunos de nosotros estamos ocupados porque pensamos que necesitamos el dinero. Pero ¿para qué lo necesitamos? La mayoría de nosotros no necesitamos dinero extra para pagar nuestros gastos. Con toda certeza no lo necesitamos para ser felices (ya que de hecho esto está haciendo que nos estresemos). Lo "necesitamos" porque pensamos que unas vacaciones extra, un coche más llamativo o una casa más grande nos van a hacer felices. Pero el verdadero gozo proviene de conocer a Dios. "La vida de una persona", dijo Jesús, "no depende de la abundancia de sus bienes" (Lc 12:15). Piensa en las personas satisfechas por sus bienes que conozcas y mira si Jesús no tiene razón.

Cuando Jesús nos dice que no corramos en busca de las cosas que tienen tan ocupado al mundo pagano, nos reprende por nuestra poca fe (Lc 12:28). Jesús nos invita a:

> [Fijarnos] cómo crecen los lirios. No trabajan ni hilan; sin embargo, les digo que ni siquiera Salomón, con todo su esplendor, se vestía como uno de ellos.
>
> **Lucas 12:27**

El trabajo es bueno, pero el trabajo que delata una falta de confianza en la habilidad que Dios tiene de proveer para Sus hijos es una idolatría. Y podemos detectar el ajetreo idólatra porque con el tiempo nos va a causar algún tipo de daño —en nuestros cuerpos, en nuestras familias, en nuestras iglesias y en nuestra relación con Dios. Solo por medio de la fe en el Dios que viste a las flores podemos buscar primero el reino de Dios (Lc 12:31). No podemos agregar una sola hora a nuestras vidas y mucho menos a cada día (Lc 12:25). Pero no hay necesidad de preocuparse. Nuestro Padre celestial tiene el control. Demanda de nosotros no más de lo que podemos hacer en el tiempo que Él nos da. Y los problemas que pensamos que necesitan más tiempo para solucionarse están todos dentro de Su cuidado soberano.

Pregúntate

¿Qué es lo que te presiona para hacer más de lo que Dios espera?

La persona responsable de tu ajetreo eres tú. Así que el centro de tu problema reside en tu corazón. ¿Estás ocupado porque...

- estás tratando de probarte que vales?
- te dejas llevar por las expectativas de otros?
- estás tratando de tener todo bajo control?
- estás tratando de asegurar tu futuro?
- estás tratando de vivir una versión materialista de la buena vida?

¿Qué es lo potencialmente idólatra en cada uno de estos deseos? ¿De qué manera Jesús ofrece un mejor camino?

Aplícalo

Piensa detenidamente en tu carga laboral y responde:

¿De qué manera puedo usar mi tiempo de manera más eficiente?

¿En qué formas desperdicias el tiempo? ¿De qué manera retrasas las cosas? ¿Te involucras con cosas que no tienes que hacer? ¿Qué hora del día te es la más adecuada para hacer el trabajo que requiere mucha concentración? Haz una lista de propuestas para mejorar en esas áreas.

¿Cuáles son mis prioridades y cómo puedo definirlas?

¿En qué estás ocupado? ¿Cuáles son tus prioridades? ¿Pasas la mayor parte de tu tiempo en ellas? ¿Lo urgente desplaza a lo importante? ¿Qué puedes dejar sin terminar? Sobre todo, ¿qué quiere decir para ti poner primero el reino de Dios? Reflexiona e idea un plan en el cual le dediques más tiempo a las prioridades que en verdad necesitas abarcar.

NO ME LLEVO BIEN CON ELLOS 9

Principio

El conflicto es una oportunidad para arrepentirse de los deseos egoístas o para demostrar gracia.

Considéralo

"¿Qué tal estuvo hoy el trabajo?", preguntó Juan.

Ricardo y Susana se sonrieron entre ellos. "Él insultó a su jefe el día de hoy", dijo Susana. Ricardo se sentía avergonzado. "No pude evitarlo. Él es una…", hizo una pausa, escogiendo con cuidado sus palabras, "… molestia".

"¿A qué te refieres con eso?".

"Siempre me está socavando. Sé que a él se lo dicen desde la gerencia, pero nunca nada es lo suficientemente bueno para él. Como hoy, hice algo mal y me gritó… en frente de todos. Así que, bueno, hago lo mejor que puedo. Sé que no debí haberlo insultado. Pero no lo pude evitar. Él es tan… bueno, tú sabes".

"Yo sí sé", se rio Juan, "pero…".

Estúdialo

Lee Santiago 3:13-18

- ¿Cuál es el resultado de la envidia y la ambición egoísta?
- ¿Cuál es el resultado de la humildad?

Lee Santiago 4:1-12

- ¿Cuál es la causa del conflicto?
- ¿Cuál es la solución al conflicto?

Contextualízalo

"No sé cuánto tiempo más me tenga que quedar en mi trabajo. Todo es muy dañino. No puedo soportar los golpes por la espalda, el chisme, las injurias, la competencia".

He escuchado suficientes comentarios como estos para darme cuenta que eres la excepción si las relaciones en tu lugar de trabajo son buenas. El trabajo reúne a un grupo de pecadores en una cercana proximidad y después los pone bajo una presión intensa. En la mayoría de las ocasiones encontrar un trabajo diferente no va a resolver el problema. Solo vas a encontrar a otro grupo de personas con las que es difícil llevarse bien.

Las luchas dentro de nosotros

El conflicto, por supuesto, siempre es culpa de alguien más. Por lo menos, así es como nosotros lo vemos. Si me enojo o pierdo los estribos, es por culpa de las acciones de alguien más. Me provocaron. Mi respuesta fue inevitable. Mi comportamiento fue razonable; el de la otra persona fue todo lo contrario.

Pero la Biblia dice que la causa del conflicto está dentro de nosotros:

> ¿De dónde surgen las guerras y los conflictos entre ustedes? ¿No es precisamente de las pasiones que luchan dentro de ustedes mismos?
>
> **Santiago 4:1**

La raíz del conflicto en el lugar de trabajo es los deseos idólatras de nuestros corazones. Cuando esos deseos se ven amenazados o se frustran, reaccionamos. Podemos reaccionar con peleas o discusiones. Podemos reaccionar con ira, disgusto, amargura, resentimiento, queja.

La Biblia dice que el origen de todo el comportamiento y las emociones del hombre es el corazón. Todas nuestras acciones fluyen del corazón (Mr 7:20-23, Lc 6:43-45, Ro 1:21-25, Ef 4:17-24). Las presiones en el lugar de trabajo o el comportamiento de tus colegas pueden crear las circunstancias que desencadenen tus deseos idólatras. Pero estos nunca son la causa:

> Que nadie, al ser tentado, diga: Es Dios quien me tienta. Porque Dios no puede ser tentado por el mal, ni tampoco tienta Él a nadie. Todo lo contrario, cada uno es tentado cuando sus propios malos deseos lo arrastran y seducen.
>
> **Santiago 1:13-14**

Lo que nuestros compañeros de trabajo, los clientes o la compañía hagan no está bajo nuestro control. Pero la manera en que respondemos depende de nosotros. Un deseo pecaminoso no es solo un deseo por algo malo. También puede ser un deseo por algo bueno que se vuelve mayor que Dios. Querer que tus compañeros de trabajo te respeten, querer tener éxito en el negocio, querer salir a tiempo o querer encontrar la satisfacción en el trabajo, todas estas son cosas buenas que podemos desear. Pero si mi trabajo hace que me enoje o amargue, mi deseo por tener respeto o éxito o tiempo libre o satisfacción han crecido demasiado —mucho más que mi deseo por Dios. Como resultado, no puedo estar contento con la soberanía de Dios sobre mi vida.

Así que cuando tengas una discusión en el trabajo o el comportamiento de un compañero de trabajo te moleste o estés resentido con las personas que te contrataron, trata de resolver esos deseos idólatras que están debajo de ese comportamiento.

Yo tengo un deseo por el orden. Ese es un buen deseo. Por lo general hace que las compañías trabajen bien, pero ese deseo puede ser idólatra. Si las personas no hacen las cosas a mi manera, con mucha facilidad me molesto. Si mi bandeja de entrada está llena, entonces me frustro. Esa frustración es la señal de que algo está mal —no con el sistema o con otras personas, ¡sino conmigo!

El mal fruto en mi comportamiento es una señal de una mala raíz en mi corazón (Lc 6:43-45). Quiero que la vida se ordene a mi manera. Quiero que todo se trate de mí. Y por esa razón, cuando no me salgo con la mía entonces me molesto. Así que tengo que aprender una vez más que Dios es el que importa. Y Dios es soberano.

Contestar las siguientes preguntas te puede ayudar a entender con mayor profundidad lo que está pasando contigo.

1. *¿Cuándo contesto mal en el lugar de trabajo?*

¿Qué desencadena tu respuesta? ¿Puedes detectar algunos patrones? Es posible que desees considerar un incidente en particular o un patrón de comportamiento determinado. Identificar los puntos con los que te enojas, te amargas o te vuelves resentido te permite pensar con detenimiento en lo que querías que se diera en esa situación.

2. *¿Cómo respondo cuando actúa de mala manera?*

Las personas se expresan de maneras diferentes: algunas gritan o se golpean los pies, algunas hacen comentarios irónicos o sarcásticos, algunas almacenan su ira y después explotan, algunas se retiran o se alteran. Algunas personas pueden no ver sus reacciones como pecaminosas porque solo asocian la ira con los arrebatos que esta produce. Te puedes ver como una persona calmada porque no gritas o vociferas. Pero tu actitud interna se exhibe en los comentarios que haces o en tu indiferencia hacia los demás.

3. *¿Qué pasa cuando actúo de mala manera?*

La sabiduría se revela en una buena vida y en las obras que se hacen con humildad (Stg 3:13). La sabiduría es "pura, y además pacífica, bondadosa, dócil, llena de compasión y de buenos frutos, imparcial y sincera" (Stg 3:17). La envidia y la ambición, en contraste, originan "confusión y toda clase de acciones malvadas" (Stg 3:16). Vuelve a contar la historia o las historias de tu conflicto. Examina los resultados de tu comportamiento o de tu respuesta. ¿Qué fruto dañino están produciendo tus acciones en tu lugar de trabajo y en tus relaciones laborales?

4. *¿Por qué razón actúo de mala manera?*

Una de las ironías de las situaciones de conflicto es que nosotros culpamos a la otra parte por sus acciones y ¡nosotros también culpamos a la otra parte por nuestras acciones! "Ellos están enojados porque están mal y yo estoy enojado porque ellos están mal". Nuestro instinto pecaminoso es juzgar a la otra parte y no a nosotros mismos. Pero Santiago dice, en efecto: "No juegues a ser Dios. No te hagas el juez" (Stg 4:11-12, Mt 7:1-5.) Incluso si la otra persona fuera peor que nosotros, nuestra responsabilidad es arrepentirnos de jugar a ser Dios.

- Pregúntate: "¿Qué estoy pensando?", y: "¿Qué es realmente lo que quiero?" para identificar tu fracaso de confiar en Dios como debes y para identificar los deseos idólatras que controlan tu corazón. Pregúntate: "¿Qué hace que yo quiera hacer la guerra (Stg 4:1-2) cuando el reinado de Cristo me llama a hacer la paz (Stg 3:17-18)? Actuamos de mala manera porque no estamos obteniendo algo que queremos. Este deseo ha ganado la batalla por el control de nuestros corazones (Stg 4:1) conduciendo al adulterio espiritual (Stg 4:4).
- Ora por sabiduría para identificar los deseos que hay detrás de tu comportamiento (Stg 1:5; 3:13-18).
- Humíllate delante de Dios (Stg 4:6-7).
- Arrepiéntete de tus deseos y de tu comportamiento (Stg 4:10).

Algunos conflictos son nuestra culpa. Más a menudo nosotros contribuimos al conflicto cuando las otras personas provocan nuestras reacciones egoístas. Pero a veces nosotros somos inocentes. ¿Qué hacemos en esas situaciones? Recuerda esto: Dios castiga todo pecado. Tú no tienes que pelear por la justicia porque Dios se va encargar de que la justicia sea hecha. Él va a traer el juicio en el día final. Si la persona involucrada es cristiana, entonces Dios ha traído el juicio en la cruz. De cualquier manera, el pecado se castiga.

Pero esto nos recuerda también que nuestro pecado fue castigado en la cruz. Jesús tomó el castigo que nosotros merecemos por el pecado. Podemos ser inocentes en esta situación pero no somos personas inocentes. Somos pecadores culpables, igual que la gente con la que se nos hace difícil trabajar. Pero Dios ha sido sorprendentemente misericordioso con nosotros. Es difícil enojarse con otras personas cuando estamos de pie frente a la cruz.

Pregúntate

- ¿Cuándo le respondiste de mala manera a tu compañero de trabajo?
  - ¿De qué manera respondiste de mala manera?
  - ¿Qué pasó cuando actuaste de mala manera?
  - ¿Por qué actuaste de mala manera?

Los equipos trabajan mejor cuando:

- Tienen un propósito común con metas claras.
- Valoran la diversidad dentro del equipo.
- Cooperan en vez de competir entre sí.

- ¿Qué tiene que pasar en tu corazón para que seas un buen socio de equipo? Identifica cómo estos principios se reflejan en la enseñanza de Pablo sobre el cuerpo de Cristo en 1 Corintios 12.

Aplícalo

- Medita en una ocasión reciente en la que haya habido un conflicto en tu lugar de trabajo o un tiempo en el que estuviste resentido. Reflexiona en un patrón de comportamiento problemático. Usa las tres preguntas trabajadas anteriormente para identificar los deseos del corazón que provocaron tu comportamiento y para identificar la respuesta correcta.

PARTE TRES

EL TRABAJO MISIONERO

LA BENDICIÓN

Principio

Mi trabajo sirve a las otras personas.

Considéralo

Ricardo estaba chiflando (mal) en la cocina mientras hacía el té.

"Estás de buen humor", le dijo Juan.

"Sí, lo estoy", le contestó Ricardo. "Tuve un gran día en el trabajo".

"¿En serio? Eso es grandioso. ¿Qué pasó? ¿Tienes un nuevo jefe?".

"No. Bueno, en cierto modo". Se rio Ricardo. "Lo que tú me dijiste de que Jesús fuera mi jefe realmente me ayudó. Sigo teniendo problemas con 'mi otro jefe'. Pero me respondo: 'Tú has hecho un buen trabajo el día de hoy y Jesús está complacido con eso'".

"Eso es maravilloso".

"Y hay algo más. He comenzado a pensar en toda la gente que va a vivir en las casas que estamos construyendo. ¡Sé que suena raro, pero pienso en ellos y me hierve la sangre de la emoción!".

"Me encanta eso", le dijo Juan. "Esa es una maravillosa actitud".

"Sí, pero ¿qué hay en cuanto a mí?", irrumpió en la conversación Susana. "Nadie ve las cuentas que yo hago excepto mi jefe —y él es un miserable, lo mires por donde lo mires".

Estúdialo

Lee Marcos 12:28-34

- ¿De qué manera podemos amar a Dios por medio de nuestro trabajo?
- ¿De qué manera podemos amar a nuestro prójimo por medio de nuestro trabajo?

Contextualízalo

Trabajar para la gloria de Dios está muy bien. Pero ¿qué es lo que en realidad quiere decir eso? ¿Quiere decir solo compartir el evangelio con las personas en el trabajo? ¿Es de esa manera que Dios se glorifica en el lugar de trabajo? ¿Quiere decir ganar dinero que puedo dar para el trabajo del evangelio? ¿Quiere decir orar por mi trabajo?

Con toda certeza puede incluir todas estas cosas. Pero es más que eso. Todas esas cosas hacen del trabajo el contexto para glorificar a Dios, pero no el contenido de la actividad que glorifica a Dios. Glorificar a Dios mientras estamos en el trabajo es una cosa. Glorificar a Dios por medio de nuestro trabajo es otra.

Ya hemos visto que Dios nos hizo para darle la gloria por medio del trabajo cuando llenamos y sometemos la tierra. Dios mismo es un trabajador que encuentra placer en lo que ha hecho y nosotros glorificamos a Dios cuando encontramos placer en nuestro trabajo.

En Génesis 11, la gente del mundo se junta "para hacerse un nombre" para ella misma. En vez de dispersarse para llenar la tierra, se junta. Y en vez de trabajar para la gloria de Dios, trabaja para ella. Su rendimiento es impresionante —una torre enorme que alcanza los cielos. Pero es una expresión de orgullo.

Nosotros le damos la gloria a Dios cuando le damos las gracias por Su mundo en vez de buscar nuestra propia fama. Le damos la gloria a Dios cuando le damos el crédito por lo que hemos logrado, en vez de reclamar el crédito para nosotros mismos. Le damos la gloria a Dios cuando recibimos este mundo como un regalo que se nos ha confiado en vez de como un recurso para que lo explotemos.

Pero existe otra manera importante en la que le damos la gloria a Dios por medio de nuestro trabajo: cuando, por medio de él, servimos a otras personas. Esta es una observación simple, pero debe tener un efecto profundo en cómo pensamos de nuestros trabajos.

Todo trabajo, de cualquier valor, bendice a las demás personas. Pensemos en algunas profesiones llamadas "profesiones del cuidado" como la enseñanza, el cuidado de la salud o el trabajo social. En estos roles es fácil ver de qué manera se sirve a las otras personas —los niños aprenden cosas, los enfermos reciben cura, las familias son auxiliadas en medio de las dificultades. Pero ni por un momento debemos pensar que estas son las únicas personas que sirven a los demás.

Si trabajas en una fábrica que hace papel de baño, entonces sirves a otras personas. Sirves al proveerles el papel de baño. ¡Y todos podemos estar de acuerdo en que ese es un servicio importante! Si eres un contador, entonces sirves a otras personas al asegurarte de que las empresas funcionen bien. Si eres un chofer que hace entregas, entonces sirves a las personas al asegurarte que las cosas que ellas quieren o necesitan les lleguen. Si estás en la publicidad, entonces sirves a otros al informarles de nuevos o mejores productos. Hay pocos trabajos en los que no puedas identificar a quién le sirve lo que haces. (Y si no puedes pensar a quién sirves con lo que haces, entonces a lo mejor es tiempo de conseguir un nuevo trabajo). Nunca puedes conocer a las personas a las que estás sirviendo, pero aun así les estás sirviendo.

Una manera de pensar acerca de esto es preguntarte: Si nadie hiciera mi trabajo, ¿qué pasaría? ¡Imagina un mundo sin papel de baño!

Esto hace una gran diferencia en la forma en que pensamos de nuestro trabajo y el valor que tiene. Cada día que te vayas a trabajar, piensa en las personas a las que estás sirviendo. Tu trabajo tiene un valor real y una importancia verdadera. Es una forma de bendecir a las demás personas.

Nuestra cultura valora el trabajo en términos de sueldos y salarios. Entre más alto el salario, más valioso el trabajo. Como creyentes, tenemos que pensar en contra de esta cultura y evaluar cada trabajo por el servicio que presta a los demás. ¿Prefieres vivir en un mundo sin papel de baño o en un mundo sin anuncios? Una vez a Jesús le preguntaron cuál pensaba Él que era el más grande mandamiento:

> El más importante es: "Oye, Israel. El Señor nuestro Dios es el único Señor", contestó Jesús. "Ama al Señor tu Dios con todo tu corazón, con toda tu alma, con toda tu mente y con todas tus fuerzas". El segundo es: "Ama a tu prójimo como a ti mismo". No hay otro mandamiento más importante que estos.
>
> **Marcos 12:29-31**

Amamos a Dios por medio de nuestro trabajo cuando lo hacemos para Su gloria más que para nuestra propia fama. Y amamos a nuestro prójimo por medio de nuestro trabajo cuando lo vemos como una oportunidad para bendecir a los demás.

El maestro de la ley que le hizo a Jesús la pregunta contestó:

> Amarlo con todo el corazón, con todo el entendimiento y con todas las fuerzas, y amar al prójimo como a uno mismo, es más importante que todos los holocaustos y sacrificios.
>
> **Marcos 12:33-34**

Jesús reconoció que esta era una respuesta sabia de alguien que no estaba lejos del reino de Dios. Amar a Dios y a las personas es más importante que la adoración formal. De hecho el trabajo puede ser un acto de adoración si se hace para bendecir a las otras personas y darle la gloria a Dios. Pablo dice:

> Por lo tanto, hermanos, tomando en cuenta la misericordia de Dios, les ruego que cada uno de ustedes, en adoración espiritual, ofrezca su cuerpo como sacrificio vivo, santo y agradable a Dios.
>
> **Romanos 12:1**

La adoración del pueblo de Dios cuando se reúne es realmente importante. Es una oportunidad para recordarnos el uno al otro que Dios es más precioso que cualquier otra cosa. Pero no es el único momento en que adoramos. Toda la vida es una oportunidad para adorar a Dios. Zacarías dice que en el reino de Dios hasta las ollas y los tazones son santos para Dios (Zac 14:20-21). Hasta lavarse puede ser santo para el Señor. Podemos ofrecer nuestro aseo como un acto santo, consagrado para la gloria de Dios.

Pregúntate

En Apocalipsis 18:4, el apóstol Juan llama a los cristianos a "salir" de Babilonia —un símbolo del sistema romano. Sin embargo, Daniel mantuvo su integridad mientras servía en el corazón de la Babilonia real (incluso cuando eso quería decir arriesgar su vida).

- ¿Cuándo debemos seguir el llamado de Juan y cuándo debemos seguir el ejemplo de Daniel?
- ¿Qué diferencia hace que estés cerca de las decisiones que se toman? ¿Importa si solo es tu equipo o toda la compañía la que toma una decisión que no es ética? ¿Y si tu departamento bendice a las personas, pero otra parte de la compañía se está comportando de una manera impía?

Aplícalo

- ¿Está tu trabajo bendiciendo a los demás? ¿De qué manera tu trabajo bendice a las otras personas? Enumera todas las maneras en las que tu trabajo sirve de bendición para otros.
- ¿De qué manera podrías actuar si descubres que tu empresa toma decisiones con las que no estás de acuerdo como cristiano porque afectan negativamente a la sociedad? Escribe tu respuesta.

LAS DECISIONES

Principio

Conecto mis decisiones a una visión cristiana del mundo.

Considéralo

El sermón del domingo realmente había desafiado a David. Su pastor había dicho a la iglesia que todo en la vida se tenía que vivir bajo el señorío de Cristo. "Por supuesto que eso está bien", pensó David. Su pastor lo había alentado a pensar en cómo el evangelio se relacionaba con sus decisiones en el hogar, en el lugar de trabajo y en la iglesia.

La parte del sermón que trató el tema del lugar de trabajo había desafiado a David de una manera particular. Él no estaba seguro de haber pensado tanto alguna vez acerca de cómo Jesús se relacionaba con el trabajo. Pero el día de hoy sería diferente. El día de hoy David dejaría que Jesús fuera el Señor de su trabajo.

Ahora se sentó en su escritorio con el propósito de comprar nuevas sillas para la oficina. "Jesús es el Señor", se dijo. "¿Jesús es Señor de las sillas?". Quizá esto iba a ser más difícil de lo que había pensado en un principio. ¿Qué tiene que ver Jesús con las sillas nuevas?

Estúdialo

Lee Colosenses 1:15-20

- ¿Cuál es el papel de Jesús en la creación?
- Haz una lista de lo que Su obra de creación cubrió
- ¿Cuál es la implicación de Su papel en la creación de acuerdo con el versículo 17?
- ¿Cuál es el alcance de la obra de redención de Jesús?

Lee Lucas 3:10-14; 19:8-10 y Hechos 24:24-26

- ¿De qué manera Juan, Jesús y Pablo detallan con claridad en estas historias la diferencia que debería hacer en nuestras acciones y comportamiento el ser cristiano?

Contextualízalo

Toda vida laboral transcurre en medio de la toma de decisiones. Esto se aplica especialmente a los gerentes, pero todos tienen que tomar decisiones en el lugar de trabajo.

- *¿De qué manera le debo responder a este cliente?*
- *¿Debo comprar una bombilla de 100 vatios o una de 220?*
- *¿A cuál de estos solicitantes debo contratar?*

¿Un empleado cristiano o un jefe cristiano deben pensar en estas decisiones de manera diferente a como pensaría un no cristiano?

Algunas cosas que ayudan a que los equipos trabajen bien no son visiblemente cristianas (tener metas claras, por ejemplo). Algunas buenas cualidades de trabajo reflejan los valores cristianos (por ejemplo, saber escuchar refleja un compromiso de amar a las otras personas), pero no solo los cristianos hacen estas cosas. ¿En dónde entra en juego la peculiaridad cristiana?

No tenemos que justificar cada acción con un versículo de la Biblia. Pero sí tenemos que asegurarnos de que todas nuestras acciones sean parte de un enfoque al trabajo que esté moldeado por una amplia estructura bíblica. Puede ser útil pensar en términos de una escalera con niveles diferentes de aplicación. La escalera está hecha de las siguientes categorías:

Visión del mundo
Valores
Principios y Metas
Políticas y Decisiones
Práctica

Cada categoría es como el peldaño de una escalera que nos permite bajar (poniendo en práctica nuestra visión del mundo) o subir (mostrando de qué manera nuestra práctica refleja nuestra visión del mundo). Nuestra visión del mundo moldea nuestros valores. Nuestros valores moldean los principios y las metas que nosotros adoptamos. Estos determinan nuestras políticas y decisiones, las cuales después se implementan a través de nuestra práctica. La escalera muestra de qué manera las ideas teológicas se asocian con la acción práctica. Por ejemplo:

Visión del mundo	Las personas son hechas a la imagen de Dios —y Dios dijo que la existencia corporal es buena.
Valores	Valoramos a las personas y estamos interesados en sus necesidades físicas
Principios y Metas	**Principio:** Nuestro ambiente de trabajo debe ser seguro. **Meta:** Vamos a crear un ambiente laboral seguro
Políticas y Decisiones	**Política:** Vamos a proveer sillas seguras para cada empleado. **Decisión:** Vamos a reemplazar nuestras sillas con el modelo "Súper Seguro" de la compañía Sillas Fáciles.
Práctica	Vamos a comprar sillas nuevas.

Este modelo muestra de qué manera nuestra teología se puede conectar a nuestra práctica. Otro gerente puede comprar el mismo modelo de sillas. Así que, en un sentido, comprar sillas no es una acción visiblemente cristiana. Sin embargo podemos mostrar de qué manera la compra de esas sillas está cimentada en una visión bíblica del mundo. Esto nos aleja del método por el cual una persona hace un llamado a un texto bíblico para probar o justificar una posición teológica sin tener en cuenta el contexto del pasaje que se cita. No todas las decisiones requieren una reflexión bíblica cuando nuestras vidas y nuestro trabajo están arraigados en una estructura bíblica más amplia.

Date cuenta también que conforme bajamos por la escalera, decrece la peculiaridad cristiana. Isaías dice:

> Cuando un agricultor ara para sembrar, ¿lo hace sin descanso? ¿Se pasa todos los días rompiendo y rastrillando su terreno? Después de que ha emparejado la superficie, ¿no siembra eneldo y esparce comino? ¿No siembra trigo en hileras, cebada en el lugar debido, y centeno en las orillas? Es Dios quien lo instruye y le enseña cómo hacerlo. Porque no se trilla el eneldo con rastrillo, ni sobre el comino se pasa una rueda de carreta, sino que el eneldo se golpea con una vara, y el comino con un palo. El grano se tritura, pero no demasiado, ni tampoco se trilla sin descanso. Se le pasan las ruedas de la carreta, pero los caballos no lo trituran. También esto viene del Señor Todopoderoso, admirable por Su consejo y magnífico por Su sabiduría.
>
> **Isaías 28:24-29**

Hay una sabiduría para trabajar que refleja la manera en que se hizo el mundo. Y los incrédulos creen esto, incluso si no se lo acreditan a Dios. Sus buenas prácticas de trabajo vienen de "el Señor Todopoderoso, admirable por Su consejo y magnífico por Su sabiduría". Los teólogos llaman a esto la "gracia común". Dios misericordiosamente "instruye" tanto a los creyentes como a los incrédulos y les "enseña cómo hacerlo". Por esta razón, al final de la escalera podemos tomar prestado con libertad de la sabiduría del mundo.

Este modelo nos ayuda a decidir si de una manera específica necesitamos una aportación cristiana o no. ¡No tenemos que hacer una reflexión bíblica de todo lo que se mueve! No todas las decisiones necesitan una reflexión bíblica. En este ejemplo no tenemos que ir con los cristianos para averiguar cuáles son las mejores sillas. Sin embargo nuestras acciones todavía están bíblicamente cimentadas.

Una visión bíblica del mundo

Para moldear nuestras acciones con una visión cristiana del mundo, tenemos que pensar en términos de la gran historia de la Biblia. Debemos estudiar los problemas analizándolos a la luz de la creación, la caída, la redención (que se promete en el Antiguo Testamento y que se cumple por medio de Jesús) y la esperanza de una nueva creación.

Para cualquier cuestión nos podemos preguntar:

- En relación con esto, ¿Cómo expresa Dios Su carácter y Su voluntad por la manera en la que hizo el mundo? ¿De qué manera esto se revela en la Biblia?
- ¿De qué manera el pecado afecta esto? ¿De qué manera tengo que tomar en cuenta el egoísmo del hombre?
- ¿De qué manera el Antiguo Testamento revela el carácter de Dios y Su voluntad?
- ¿De qué manera el Antiguo Testamento aumenta nuestra comprensión de lo que Jesús ha hecho por nosotros y el ejemplo que nos da?
- ¿De qué manera las enseñanzas y el ejemplo de Jesús y los apóstoles se relacionan con esto?
- ¿De qué manera nuestra nueva identidad en Cristo y la membresía de Su nueva comunidad afectan nuestro enfoque sobre esto?
- ¿Qué significa el patrón de la cruz en esto?
- ¿De qué manera nuestra esperanza en una creación renovada fundamenta nuestro enfoque de esta cuestión?
- ¿De qué manera el hecho de que la redención completa se encuentra en el futuro matiza las perspectivas actuales sobre esta cuestión?

Pregúntate

- ¿Cómo cambiarían las cosas en tu lugar de trabajo si todos tus compañeros tuvieran una visión bíblica del mundo?

Aplícalo

- Piensa en una decisión que estés tomando en el trabajo. O en un caso imaginario, como alguien que le responde a un cliente enojado o un jefe que está decidiendo si ofrece horas de trabajo que sean flexibles. Luego identifica para esta decisión qué aspecto puede tener cada uno de los diferentes peldaños de la escalera que conecta la teología con la práctica:
  - Visión del mundo
  - Valores
  - Principios y Metas
  - Políticas y Decisiones
  - Práctica
- Identifica de qué manera cada una de las etapas principales de la historia de la Biblia podrían moldear una teología importante para esta decisión:
  - Creación
  - Caída
  - Redención
  - Nueva creación

EL TESTIGO

Principio

Aprovecho las oportunidades únicas de dar testimonio en el trabajo con valor, paciencia e integridad.

Considéralo

"Felipe me pidió que me involucrara en el grupo de jóvenes", dijo Marcela. "Y me encantaría ayudar. Pero no estoy segura de regresar a tiempo del trabajo. Y además, estoy bastante agotada para el viernes en la tarde. ¡No estoy segura de poder lidiar con veinte adolescentes!".

"Estoy seguro de que sería genial que estuvieras con ellos", dijo Pedro, su pastor. "Pero si para ti no va a funcionar, está bien".

"¿Estás seguro?".

"Sí, por supuesto". Pedro podía ver que algo andaba mal. "¿Estás bien?".

"Me siento tan culpable por no hacer nada de evangelismo. Quiero decir, amo a Jesús y quiero que los demás sepan de Él. Pero el trabajo consume tanto de mi tiempo que me he estado preguntando si debería buscar un empleo menos demandante".

"Tal vez", dijo Pedro. "Esa es una buena opción. Pero ¿qué hay en cuanto a tu empleo actual? ¿No te ofrece oportunidades?".

"No estoy segura si eso realmente cuente. Ninguno de mis compañeros de trabajo vive cerca de la iglesia, así que yo no puedo realmente invitarlos a que vayan".

"Humm, eso no ayuda", dijo Pedro, "Pero...".

Estúdialo

Lee 1 Pedro 2:9 – 3:17

- ¿Cómo describe Pedro a los cristianos en los versículos 9-10?
- ¿Qué estrategia evangelística recomienda en 2:12?
- ¿De qué manera se aplica esto en el lugar de trabajo (2:18-21) y en el hogar (3:1-7)?
- ¿De qué forma debemos responder a la hostilidad?
- ¿De qué manera el llamado a abstenernos de los deseos pecaminosos en 2:11 se aplica en tu lugar de trabajo?
- ¿Qué estrategia evangelística recomienda Pedro en 3:15-16?

Contextualízalo

¿Qué se te viene a la cabeza cuando piensas en el evangelismo? ¿Células? ¿Grupos familiares? ¿Campañas evangelísticas? ¿Predicación callejera? ¿Visitas "puerta a puerta"?

Con frecuencia pensamos en el evangelismo en términos de eventos. No hay nada malo con eso. Es realmente importante que las iglesias les brinden oportunidades a los incrédulos de escuchar el evangelio explicado. Pero el evangelismo es más grande que los eventos evangelísticos. Mucho más grande.

Jesús no solo envió el Espíritu Santo para que pudiéramos hacer evangelismo. Él nos dio el Espíritu para que pudiéramos ser testigos —para que nuestras vidas completas pudieran anunciar la buena noticia acerca de Jesús. Pedro dice:

> Mantengan entre los incrédulos una conducta tan ejemplar que, aunque los acusen de hacer el mal, ellos observen las buenas obras de ustedes y glorifiquen a Dios en el día de la salvación.
>
> **1 Pedro 2:12**

Y Pedro se extiende en esto no describiendo eventos evangelísticos, sino hablando acerca del testimonio de los cristianos en el mundo en general (1P 2:13-17), en el lugar de trabajo (1P 2:18-25) y en el hogar (1P 3:1-7). ¡Todas nuestras vidas deben ser eventos evangelísticos!

Tú en tu lugar de trabajo

El lugar de trabajo es un contexto grandioso para dar testimonio de Cristo. Las iglesias muchas veces piensan detenidamente cómo pueden construir relaciones con los incrédulos cuando, todo el tiempo, esas relaciones ya existen en el trabajo. Con frecuencia compartimos nuestras vidas en el lugar de trabajo con personas que nunca soñarían asistir a una iglesia. Nosotros podríamos ser su único contacto con el evangelio. Ellas pueden tirar a la basura el folleto del evangelio o cerrarle la puerta a los evangelistas que tocan a la puerta. Pero ellas no pueden evitar el testimonio de un compañero de trabajo cristiano.

La iglesia de Filipo se pudo haber preguntado si Dios realmente tenía el control de la misión de Su iglesia. El mejor misionero de la iglesia había sido encarcelado. No habría más debates en la sinagoga. No habría más lecturas públicas. No habría más predicación al aire libre. Pero Pablo estaba emocionado con las oportunidades que su encarcelamiento le había dado.

Veinticuatro horas al día él estaba encadenado bajo la vigilancia de varios guardias. Uno por uno, ellos se turnaban para sentarse con él, ¡sin nada que hacer más que hablar con el gran evangelista! Así que Pablo dice:

> Hermanos, quiero que sepan que, en realidad, lo que me ha pasado ha contribuido al avance del evangelio. Es más, se ha hecho evidente a toda la guardia del palacio y a todos los demás que estoy encadenado por causa de Cristo.
>
> **Filipenses 1:12-13**

Viviendo el evangelio

Las actitudes de los cristianos hacia su trabajo y su conducta en el trabajo tienen un enorme potencial de recomendar el evangelio a los demás:

> A procurar vivir en paz con todos, a ocuparse de sus propias responsabilidades y a trabajar con sus propias manos. Así les he mandado, para que por su modo de vivir se ganen el respeto de los que no son creyentes, y no tengan que depender de nadie.
>
> **1 Tesalonicenses 4:11-12**

> Enseña a los esclavos a someterse en todo a sus amos, a procurar agradarles y a no ser respondones. No deben robarles, sino demostrar que son dignos de toda confianza, para que en todo hagan honor a la enseñanza de Dios nuestro Salvador.
>
> **Tito 2:9-10**

Nuestra actitud hacia la autoridad, la manera en la que tratamos a los compañeros de trabajo y a los clientes, nuestra puntualidad, nuestra bondad (sobre todo para los que están por debajo de nosotros en jerarquía), nuestra diligencia y nuestra integridad —todo esto va a recomendar a nuestro Salvador. A menudo no vemos mucho cambio y podemos pensar que no estamos haciendo mucha diferencia. Pero nuestro impacto en las personas puede ser profundo. Escucha las palabras de un amigo mío:

> Tenemos que reconocer la profundidad de las relaciones en el trabajo. ¿Qué quiero decir? Los compañeros de trabajo que se conocen entre sí por un tiempo se ven en las situaciones extremas. Es mucho más probable que mis compañeros me vean en una situación de mucho estrés a que mi familia, mis amigos o los contactos fuera del trabajo me vean así. Y yo también los veo en esas situaciones. Esta puede ser una experiencia que se comparte y que está cargada de emoción. Esto debe crear oportunidades para tener una verdadera amistad y una oportunidad para compartir el evangelio. En las relaciones laborales existe una distancia que es correcta y apropiada. Aun así, los compañeros de trabajo ven cosas profundas el uno del otro.

Compartiendo el evangelio

No es suficiente con que nuestras vidas prediquen el evangelio. Tenemos que estar listos para dar una respuesta a la esperanza que tenemos (1P 3:15). Si nunca explicamos el evangelio, entonces las personas probablemente van a asumir que vivimos una buena vida para ganarnos nuestra entrada al cielo. O nos van a dar el crédito. Van a pensar que somos buenas personas en vez de pensar que somos personas que conocemos a un grandioso Salvador. Así que tenemos que anunciar el mensaje de Jesús, lo que Él ha hecho por nosotros por medio de Su muerte y resurrección. Tu contexto va a afectar tu enfoque:

- Si estás visitando a un contratista o estás trabajando en un lugar con una alta rotación de personal, vas a tener que ser valiente porque puedes tener solo una o dos oportunidades con la gente.
- Si es factible que estés trabajando con la misma gente durante meses o años, o si estás en el rango inferior en la jerarquía de tu empresa, entonces puede que tengas que ser paciente y orar para que tu vida cree buenas oportunidades.
- En algunas profesiones, los jefes se preocupan de que puedas usar tu posición para compartir el evangelio con los clientes, pero puedes encontrar oportunidades con tus compañeros de trabajo.

Otro desafío al compartir el evangelio en el lugar de trabajo es este: Pensamos que el mensaje de Jesús es una buena noticia que es emocionante. Pero podemos sentir como si muchas de las oportunidades que se presentan en el lugar de trabajo nos empujaran a hablar las malas noticias. Podemos terminar viéndonos como mojigatos sin alegría que queremos terminar con la diversión de la gente.

Considera los siguientes comentarios de trabajadores cristianos:

> ¿Cuál es la responsabilidad que tengo de ser el 'policía moral', de castigar a la gente por jurar o por ver correos electrónicos dudosos?

> Las conversaciones muchas veces se ponen bastante obscenas. Se me hace difícil saber cómo manejar esto, quiero decir, ser amigo de la gente sin que me vea inmerso en esas cosas.

> Muchos empleados cuentan chistes groseros o se comportan de manera deshonesta en las relaciones laborales. Y lo peor de todo es que si tú no les sigues la corriente, te van a hacer quedar mal en público.

No existen respuestas simples a ninguno de estos desafíos. Pero un enfoque es pensar en términos de "no necesito" en vez de "no debería". "No debería" es el lenguaje del legalismo y el legalismo nunca es una buena noticia. Pero el evangelio no solo nos dice qué debemos hacer y qué no debemos hacer; también nos da los motivos y los recursos para vivir la buena vida. Nos ofrece una vida mayor y mejor que la vida que nos promete falsamente el pecado. Así que podemos decir más que "no debo mentir en el trabajo". Podemos decir: "No necesito mentir en el trabajo porque tengo un Padre en el cielo que cuida de mí", o: "No necesito probarme que valgo porque tengo la aprobación de Dios en Cristo".

Es posible que no sientas que puedes explicar el evangelio muy bien a las personas o responder a todas sus preguntas. Es aquí donde eventos como los servicios para los invitados o los cursos evangelísticos obtienen el reconocimiento que se merecen. Puedes invitar a alguien a un evento, así como Leví invitó a sus amigos a comer con Jesús (Lc 5:27-32). O es posible que desees considerar involucrarte en oportunidades que se basen en el trabajo, como estudios de la Biblia a la hora del almuerzo o eventos para después del trabajo.

Los guardias que se sentaron junto a Pablo en la cárcel estuvieron en contacto con el mensaje del evangelio a través de sus vidas laborales. Piensa en la gente que se sienta cerca de ti. O en la gente con la que viajas. Tienes un trabajo que hacer, así que es claro que no puedes pasar todo tu tiempo hablando de Jesús como lo podía hacer Pablo en la cárcel. Pero la vida laboral en general da muchas oportunidades para tener conversaciones. Puedes hablar mientras estás haciendo un trabajo manual o durante viajes compartidos o descansos para el almuerzo o cuando vas a tomar algo después del trabajo.

Pregúntate

- ¿En algún momento de tu vida has compartido el evangelio dentro de tu lugar de trabajo? ¿Cómo fue tu experiencia? ¿Qué cosas cambiarías después de haber leído este estudio?

Aplícalo

» Aquí te compartimos algunos consejos para dar testimonio en el lugar de trabajo.

¿Cuáles podrías aplicar en tu situación?

- Deja que todos sepan que eres cristiano tan pronto como sea posible cuando estés en una nueva situación de trabajo.
- Ten un interés genuino por las personas y sus familias.
- Las amistades duraderas en el lugar de trabajo casi siempre tienen una vida fuera del lugar de trabajo, así que busca oportunidades para pasar tiempo con la gente fuera del trabajo.
- Ora por tus compañeros de trabajo, por nombre. Ora para que el Espíritu Santo cree oportunidades de hablarles de Jesús, y para que te dé el valor de entusiasmarlos.
- Involúcrate en los estudios de Biblia a la hora del almuerzo o en eventos después del trabajo.

» Ten lista una buena respuesta para la pregunta del lunes por la mañana: *¿Qué hiciste este fin de semana?* Trata de pensar en algo un poco más intrigante que solo decir: *Fui a la iglesia.* Habla de cómo viste a Dios obrando o lo que descubriste en el sermón.

- Piensa en el último fin de semana. Qué respuesta puedes tener ya lista para la pregunta: "¿Qué hiciste este fin de semana?".

LA COMUNIDAD 13

Principio

Encuentro oportunidades para alentar a los cristianos en el lugar de trabajo.

Considéralo

Irene estaba a punto de ir a enseñar ciencias a los hijos de los misioneros en una escuela misionera en África. Estaba parada enfrente de la iglesia mientras su pastor la entrevistaba, antes de que él le impusiera las manos y orara por ella.

Sandra estaba sentada en una banca junto a su amiga Alicia. "Alicia también enseña ciencias", pensó. "Y en una escuela desafiante en el centro de la ciudad. Eso significa que todos los días en su trabajo ella tiene contacto con niños de familias deshechas. Está generando un gran impacto en las vidas de esos niños a pesar de que es muy difícil avanzar".

Sandra estaba encantada de que Irene estuviera dejando su tierra natal para servir a Cristo como una misionera y sabía que iba a ser difícil para ella porque iba a vivir lejos de su familia. Pero se comenzó a preguntar por qué a Alicia nunca la habían invitado a pararse al frente para que las personas le impusieran las manos. "Creo", pensó, "que su trabajo en la escuela es igual de grande y difícil que en el campo misionero. Tal vez más".

Estúdialo

Lee Efesios 4:7-16

- ¿El versículo 14 describe tu vida en el trabajo?
- ¿De qué manera nos ayudamos los unos a los otros a convertirnos en cristianos maduros en el lugar de trabajo?
- ¿Qué dones te ha dado Dios que podrían ayudar a otros trabajadores cristianos?

Contextualízalo

No fuimos hechos para vivir la verdad por nuestra cuenta.

Somos hechos a la imagen del Dios Trino para vivir en una relación. Sin embargo, nuestro pecado hace que las relaciones que tenemos con otros muchas veces estén marcadas por el conflicto. Pero aun así trabajamos mejor cuando trabajamos juntos. Cristo murió por Su novia, la iglesia (Ef 5:25-27). Murió para crear un pueblo que sería el pueblo de Dios. La cruz nos reconcilia con Dios y al uno con el otro (Ef 2:14-18).

La iglesia es la comunidad donde nos pertenecemos los unos a los otros, con toda la responsabilidad que esta pertenencia implica (ver Ro 12:5). Dios nos dio la comunidad cristiana para que podamos crecer juntos para valorar el amor de Cristo y para crecer juntos en la madurez en Él (Ef 3:18; 4:11-16).

A pesar de todo esto, el lugar de trabajo puede ser un lugar solitario para los cristianos. Puedes ser el único creyente en tu equipo, en tu división o incluso en tu compañía. El lugar de trabajo puede ser un ambiente hostil para los cristianos. Puedes ser el blanco de las burlas. O puedes vivir la oposición directa y agresiva en tu cara y a tus espaldas. Las cosas solo se ponen peor cuando tratas de vivir de una forma que sea moldeada por tu fe y cuando tratas de hablar con claridad de Jesús. Tu comportamiento puede muy bien ser un desafío para las demás personas. Puedes no confrontar de manera personal a la gente, pero tu integridad expone su falta de integridad. El lugar de trabajo puede ser un lugar difícil para vivir cuando eres un cristiano.

Así que busca apoyo.

Los cristianos en tu lugar de trabajo

Si hay otros cristianos en tu lugar de trabajo, entonces sé explícito en cuanto a apoyarse los unos a los otros. Eso podría incluir:

- una conversación eventual respecto a las presiones que ustedes comparten;
- orar juntos de manera regular por su integridad y por las oportunidades para dar testimonio de Cristo;
- ir juntos cuando vayan a tomar algo después del trabajo para que se puedan apoyar entre ustedes teniendo conversaciones que hablen de Jesús;
- estudiar la Biblia a la hora del descanso o participar de algunos eventos evangelísticos.

Es muy fácil intentar pasar desapercibido cuando estás por tu propia cuenta. Pero cuando hay dos de ustedes, se pueden hacer responsables entre ustedes y trabajar juntos para dar testimonio de Cristo.

Los cristianos en tu profesión

Cada profesión lanza sus propios dilemas a los creyentes. Puede ser el dilema de la ética médica para los que están al cuidado de la salud. Puede ser la práctica ética para los que están en compañías multinacionales. Puede ser el desafío de los chistes groseros o del comportamiento agresivo para los que hacen trabajos manuales.

Para algunas profesiones, existen asociaciones cristianas que te ayudan a pensar en tu trabajo desde una perspectiva bíblica. Para otras profesiones, te puede ser útil hablar de los problemas que encuentran en ellas con otras personas de tu iglesia local que desempeñan el mismo rol tuyo, así como compartir las responsabilidades.

Los cristianos en tu iglesia

Ya que para la mayoría de las personas su vida de trabajo se lleva a cabo fuera del vecindario de su iglesia local, muchas veces pasa desapercibida y no se reconoce. Sin embargo, el trabajo es donde la mayoría de los cristianos:

- pasan gran parte de sus vidas;
- enfrentan sus mayores retos;
- tienen sus mejores oportunidades para evangelizar.

Así que es importante que las iglesias alaben el mundo del trabajo y busquen oportunidades para apoyar a la gente en las presiones que el trabajo conlleva. Este compromiso de trabajo se debe reflejar en nuestras estrategias para las misiones, en nuestras expectativas para los trabajadores, en nuestra aplicación de la Biblia, en nuestras oraciones, en la gente que entrevistamos en las juntas, en lo que festejamos y en la forma en la que ilustramos nuestros sermones.

Las oportunidades resultantes de las relaciones laborales para darle seguimiento al testimonio muchas veces se dan fuera del lugar de trabajo y fuera de las horas de trabajo. Puedes tener una oportunidad para decir algo en un descanso para tomar café, pero la oportunidad de hablar con mayor profundidad es más probable que se dé cuando te vas a tomar algo después del trabajo. Esto quiere decir que como iglesias tenemos que reconocer y valorar estas oportunidades incluso si eso implica que la gente no pueda llegar a las actividades programadas para la tarde en la iglesia.

La espontaneidad puede ser difícil para los trabajadores, sobre todo si ellos tienen que hacer un viaje significativo todos los días después del trabajo. Es difícil ser positivo cuando alguien que no ha tenido un largo día de trabajo te llama a las 7:30 de la tarde para sugerirte hacer algo esa noche. Con frecuencia es más fácil administrar el tiempo y la energía para las actividades que se planean por adelantado.

Las iglesias a veces pueden expresar aprecio por las así llamadas "profesiones del cuidado", pero no fiarse de la gente de negocios porque pasa su tiempo tratando con el dinero. No obstante, necesitamos una cultura eclesiástica en la que las empresas se afirmen y en la que se aliente a los empresarios, porque las empresas bendicen a nuestro mundo cuando crean empleos, proporcionan servicios, generan ingresos fiscales y financian a las misiones. La gente de negocios que está interesada en Jesús se debe sentir acogida y fortalecida.

El dinero también puede ser una idolatría, un rival de Dios por nuestros afectos y una amenaza a nuestras relaciones. Así que la gente de negocios que es cristiana tiene que ser responsable por la forma en la que genera la riqueza y por el uso que le da. Queremos que la gente sea generosa, que evite los gastos excesivos. Pero no debemos advertir en contra de esos peligros de una forma que describa de manera negativa a las empresas, ni tampoco debemos afirmar a las profesiones que prestan servicios de una forma tal que la gente de negocios se sienta excluida.

Pregúntate

- ¿Qué oportunidades existen para que tú cooperes con:
  - los cristianos que hay en tu lugar de trabajo?
  - los cristianos que hay en tu profesión?
  - los cristianos que hay en tu iglesia?
- ¿Qué oportunidades podrías generar?

Aplícalo

Apoyando a los trabajadores cristianos en la iglesia

- Aquí te presento algunas ideas que las iglesias pueden implementar para apoyar a los trabajadores cristianos. ¿Cuál está haciendo tu iglesia? ¿Cuál podrías comenzar a hacer?
  - Piensa si los horarios de tus reuniones podrían funcionar mejor para los trabajadores que todos los días se desplazan a su trabajo. Puede ser que las reuniones más cortas funcionen mejor temprano por la tarde para que la gente pueda ir saliendo del trabajo de regreso a casa. De otra manera, tienes que darle tiempo a la gente para que llegue a casa, prepare comida, acueste a los niños, etc., antes de que pueda salir en la noche.
  - Haz que las reuniones de negocios de la iglesia sean relajadas e informales para que no las sientan como otra junta de trabajo.

- Visita a los trabajadores en su lugar de trabajo para que puedas ver dónde trabajan, conozcas a sus compañeros de trabajo y ores junto a ellos.
- "Comisiona" a personas que se están embarcando en nuevos trabajos o en nuevos roles en el trabajo así como comisionamos a alguien que empieza con nuevos papeles pastorales o servicios misioneros.
- Ten una reunión constante donde puedas compartir con otros las buenas oportunidades que se dan en el lugar de trabajo, en las que alguien hable acerca de su trabajo y comparta las necesidades de oración.
- Envíales de manera regular a los trabajadores un correo electrónico a su lugar de trabajo con un breve "pensamiento del día".
- Incluye de una forma habitual en los sermones y los estudios bíblicos una aplicación para el lugar de trabajo. ("¿Qué aplicación tendría este pasaje en la oficina o en el taller cuando alguien dice...?").

Apoyando a los empresarios cristianos

Muchas de las grandes compañías de hoy originalmente las comenzaron cristianos con el apoyo de su iglesia local. ¿De qué manera podrías apoyar a la gente de negocios y a los empresarios en tu congregación? Las siguientes ideas te pueden servir.

- Un programa de tutorías que conecte a los nuevos empresarios con la gente de negocios que tenga experiencia para ayudarlos a desarrollar planes de negocios, a tener acceso a los recursos, a generar ideas y a resolver problemas.
- Un club de negocios donde los empresarios se puedan reunir para apoyarse entre sí y rendir cuentas, y para conectar a los inversionistas con las oportunidades de negocios para misiones.
- Un banco de habilidades que brinde apoyo gratuito o a bajo costo para la puesta en marcha de un negocio (contabilidad, asesoría para el negocio, diseño) junto con una base de datos del gobierno y otros recursos para los nuevos negocios.
- Entrenamiento en la visión y práctica del negocio que se relacione con los misioneros y con las misiones.

CONCLUSIÓN

LLEVANDO A DIOS AL TRABAJO 14

Principio

Dios está trabajando —en el trabajo.

Considéralo

Margarita levantó la vista de la pantalla de su computadora. Le fue imposible no escuchar que Daniel y Fernando estaban hablando algo de la iglesia. No tardó mucho en entender que estaban hablando de cómo los cristianos odian a los homosexuales.

"No", quería decirles ella. "Es más complicado que eso".

Ella sabía que era algo que tenía que ver con la orientación y el estilo de vida. ¿Era así? Trató de recordar la conferencia que hubo en la iglesia meses atrás. Era complicado. Demasiado complicado para explicarlo.

Y ella no quería verse como una fanática. "Mejor me quedo callada esta vez", se dijo a sí misma. "Estoy teniendo suficientes problemas tratando de hacer que este archivo me funcione".

Estúdialo

Lee Génesis 39:1-23

- ¿Cuáles eran las condiciones de trabajo de José?
- ¿De qué manera se comportó José bajo presión?
- ¿Cuál fue el secreto del éxito de José?

Contextualízalo

Una encuesta del Instituto de Londres para el Cristianismo Contemporáneo (LICC, por sus siglas en iglés) les preguntó a los cristianos cuáles eran los problemas principales que ellos enfrentaban en el trabajo. Las primeras respuestas fueron:

- el estrés y el agotamiento
- mantener la integridad cristiana
- las comunicaciones y las relaciones
- el exceso de trabajo y las horas extra
- la inseguridad y el despido
- la suspensión temporal por falta de trabajo

¡Puede ser difícil! En muchos otros contextos tú le puedes dar forma a la cultura. Pero en el trabajo vives en una cultura que ya existe, una cultura que es potencialmente hostil a Jesús, en la que a veces puedes ser una minoría de uno.

Muchos años antes de Jesús, una banda merodeadora de arameos capturó a una muchacha israelita. Ella se encontró trabajando como una esclava para Naamán, el comandante del ejército arameo. Ella estaba sola en un país hostil, sin derechos, trabajando para los enemigos de Dios. Y a pesar de eso Dios la usó de una forma sorprendente.

Naamán se enfermó de lepra. Ella pudo haber guardado silencio para evitar problemas. Se pudo haber gozado en la desgracia que había caído sobre su amo. Sin embargo:

> Un día la muchacha le dijo a su ama: Ojalá el amo fuera a ver al profeta que hay en Samaria, porque él lo sanaría de su lepra.
>
> **2 Reyes 5:3**

Sorprendentemente, Naamán escuchó su consejo y fue (eventualmente) curado de la lepra, y se convirtió en un seguidor del Dios vivo.

El trabajo puede ser un lugar hostil para los cristianos, pero puede ser también un lugar de oportunidades extraordinarias.

Confiando en Dios en el trabajo

La misma encuesta del LICC encontró que la más grande tentación que los cristianos enfrentan en el trabajo es la autosuficiencia.

Como la muchacha israelita en la casa de Naamán, José fue un esclavo sin derechos, lejos de la comunidad de la fe en una situación hostil. Pero Génesis 39:2 nos dice que "el Señor estaba con José y las cosas le salían muy bien" mientras trabajaba en la casa de Potifar. Sigue diciendo:

> Este [el amo de José] se dio cuenta de que el Señor estaba con José y lo hacía prosperar en todo. José se ganó la confianza de Potifar, y este lo nombró mayordomo de toda su casa y le confió la administración de todos sus bienes.
>
> **Génesis 39 v 3-4**

Fue la presencia del Señor que estaba con José la que lo capacitó para mantener su integridad cuando enfrentó la tentación con la esposa de Potifar.

Falsamente acusado, José se encontró en la cárcel. Pero de nuevo leemos:

> Pero aun en la cárcel el Señor estaba con él y no dejó de mostrarle Su amor. Hizo que se ganara la confianza del guardia de la cárcel, el cual puso a José a cargo de todos los prisioneros y de todo lo que allí se hacía.
>
> **Génesis 39:20-22**

José prosperó en el trabajo porque el Señor estaba con él. Eso no quería decir que todo fuera sencillo para él; después de todo, él sí terminó en la cárcel. Pero el hecho de que conociera la presencia de Dios y Su bendición le permitió guardar su integridad y cumplir bien su trabajo. Dios siguió estando con José y prosperó su trabajo. Con el tiempo, José llegó a ser "primer ministro" en Egipto, lo que le permitió salvar a mucha gente del hambre. Más que eso, Dios usó el trabajo de José para preservar a Su pueblo y para preservar la promesa que ellos tenían de un Redentor.

El trabajo da muchas oportunidades y muchos desafíos. Por nuestra cuenta, son demasiados para nosotros. Pero no estamos por nuestra cuenta. Los cristianos en el lugar de trabajo nunca están solos. Tenemos dentro de nosotros el Espíritu de Dios para capacitarnos a fin de vivir para Cristo. Cuando confiamos en nosotros mismos, las cosas salen mal. En un día productivo vamos a estar llenos de orgullo. En un día difícil nos vamos a dar cuenta que no podemos lidiar con eso y vamos a sucumbir ante la tentación. Así que tenemos que cultivar un fuerte sentido de confianza en Dios en el lugar de trabajo.

Existe un día al año que se conoce como "lleva a tu hija al trabajo". El objetivo es que las niñas experimenten el mundo del trabajo y se rompan los prejuicios en cuanto al papel de las mujeres. ¿Qué hay en cuanto a tener un día que sea "lleva a Dios al trabajo"? ¿Qué diferencia haría si pensaras que Jesús está de pie a tu lado en los momentos difíciles? ¿Qué diferencia haría si pensaras que el Espíritu Santo vive en ti cuando surgen las oportunidades para evangelizar? Jesús dijo:

> Se me ha dado toda autoridad en el cielo y en la tierra. Por tanto, vayan y hagan discípulos de todas las naciones, bautizándolos en el nombre del Padre y del Hijo y del Espíritu Santo, enseñándoles a obedecer todo lo que les he mandado a ustedes. Y les aseguro que estaré con ustedes siempre, hasta el fin del mundo.
>
> **Mateo 28:18-20**

En tu lugar de trabajo el Padre vela por ti, el Hijo está a tu lado y el Espíritu vive dentro de ti. Dios está trabajando —en el trabajo.

Pregúntate

- ¿De qué manera te comportas cuando estás confiando en ti mismo?
- ¿De qué manera te comportas cuando estás confiando en Dios?
- ¿De qué manera puedes cultivar una confianza en Dios en el lugar de trabajo? Da algunas ideas.

Aplícalo

- Cuando leas la Biblia, pide a Dios que te hable a través de Su Espíritu. Pídele que te muestre cómo el pasaje habla a los retos que enfrentas en tu lugar de trabajo. Pídele que te muestre de qué manera puedes compartir lo que estás leyendo con un compañero de trabajo.
- Lleva los problemas del trabajo a Dios en oración —tanto los retos específicos que enfrentas como cristiano como los problemas de trabajo que enfrentas tú o tu equipo.
- Ora por tus compañeros de trabajo y diles que estás orando por ellos.
- Ora cuando leas los pasajes de la Biblia para que conviertas lo que la Biblia dice en oración.
- Pon un versículo en tu escritorio o en tu caja de herramientas o en tu protector de pantalla o en tu tablero del coche —algo que te recuerde del trabajo que Cristo hace por ti o del trabajo del Espíritu en ti.
- Ora para que el Espíritu Santo te dé valor. Adapta la oración de Hechos 4:23-31.
- Ponte en situaciones en las que sepas que te vas a sentir fuera de tu zona de comodidad para que te veas forzado a confiar en Dios. A lo mejor tú puedes compartir tu fe con tu jefe o puedes preguntar a tus compañeros de trabajo de qué manera puedes orar por ellos.